不忘初心 继续前进

本书编写组

人民出版社
学习出版社

责任编辑：柴晨清　刘　畅
封面设计：周方亚
版式设计：王欢欢
责任校对：苏小昭

图书在版编目（CIP）数据

不忘初心　继续前进／本书编写组 编 . —北京：人民出版社，
　学习出版社，2017.10
ISBN 978－7－01－018493－7

Ⅰ.①不…　Ⅱ.①不…　Ⅲ.①社会主义建设成就－中国　Ⅳ.① D619

中国版本图书馆 CIP 数据核字（2017）第 263283 号

不忘初心　继续前进
BUWANG CHUXIN JIXU QIANJIN

本书编写组　编

人民出版社
学习出版社　出版发行

（100706　北京市东城区隆福寺街 99 号）

北京中科印刷有限公司印刷　新华书店经销

2017 年 10 月第 1 版　2017 年 10 月北京第 1 次印刷
开本：710 毫米 ×1000 毫米 1/16　印张：9.25
字数：91 千字

ISBN 978－7－01－018493－7　定价：24.00 元

邮购地址 100706　北京市东城区隆福寺街 99 号
人民东方图书销售中心　电话（010）65250042　65289539

版权所有·侵权必究
凡购买本社图书，如有印制质量问题，我社负责调换。
服务电话：（010）65250042

目 录

第一集　举旗定向 ……………… 001

第二集　人民至上 ……………… 021

第三集　攻坚克难 ……………… 041

第四集　凝心铸魂 ……………… 061

第五集　强军路上 ……………… 081

第六集　合作共赢 ……………… 103

第七集　永立潮头 ……………… 125

本书视频索引 …………………… 145

第一集

举旗定向

第一集《举旗定向》完整视频

公元2012年11月至今的五年，虽然在历史的长河中只是短暂的一瞬，却为中国的发展标注了崭新的方位。

习近平总书记：

我以为，实现中华民族的伟大复兴，就是中华民族近代最伟大的中国梦。

社会主义是干出来的！

实现中国梦，必须走中国道路。

这五年，从改革开放近40年的攻坚克难中走来。一场改变当代中国命运的新的伟大革命，推动中国始终走在时代前列。

这五年，从新中国60多年的持续探索中走来。一场改天换地的伟大建设，让共和国巍然屹立在世界的东方。

这五年，从中国共产党90多年的接续奋斗中走来。一个勇担历史重任的伟大政党，不断创造人类社会发展史上的奇迹。

这五年，从中国近代以来170多年的苦难辉煌中走来。一个久经磨难的伟大民族，实现了从站起来、富起来到强起来的历史性飞跃。

这五年,更是从中华民族5000多年悠久文明的传承发展中走来。一个生生不息的伟大文明,始终滋养着中华的沃土,始终奔涌着前行的力量。

习近平总书记(2016年7月1日庆祝中国共产党成立95周年大会):

一切向前走,都不能忘记走过的路。走得再远、走到再光辉的未来,也不能忘记走过的过去,不能忘记为什么出发。面向未来,面对挑战,全党同志一定要不忘初心、继续前进。

不忘初心、继续前进!

党的十八大以来,在以习近平同志为核心的党中央坚强领导下,党和国家事业发生了历史性变革。党中央科学把握当今世界和当代中国的发展大势,顺应实践要求和人民愿望,推出一系列重大战略举措,出台一系列重大方针政策,推进一系列重大工作,解决了许多长期想解决而没有解决的难题,完成了许多过去想办而没有办成的大事,中国特色社会主义事业进入了新的发展阶段。

今天的中国,已经站到了新的历史起点上。社会主义在中国焕发出强大生机活力,并不断开辟发展新境界。中国特色社会主义拓展了发展中国家走向现代化的途径,为解决人类问题贡献了中国智慧、提供了中国方案。全世界的目光清晰地看到,中国正前所未有地走近世界舞台中心,前所未有地接近实现中华民族伟大复兴的目标,前所未有地具有实现这个目标的能力和信心。

这是呼唤梦想也必将实现梦想的伟大时代。

这是传承历史也必将开辟历史的壮阔征程。

2012年11月29日上午，位于天安门广场东侧的国家博物馆，迎来了不寻常的参观者。

国家博物馆工作人员　黄琛：

其实那天吧，我跟平时差不多，大概就是8点之前就到单位了。以往我们迎接重要的客人，都会铺上红地毯，但是那天没有铺红地毯，本以为来的是普通的客人。

上午9点，人们发现，这批参观者是前来参观一个名叫"复兴之路"的大型展览。

国家博物馆馆长　吕章申：

总书记参观"复兴之路"，给我的感觉就是他对中国古代史、我们的党史、革命史有深入的研究，他不光是询问，更多的是提问我，而且反过来还讲了很多故事。

习近平总书记（2012年11月29日国家博物馆）：

一天一个小伙子在家里奋笔疾书，妈妈在外面喊着说："你吃粽子要加红糖水，吃了吗？"他说："吃了吃了，甜极了。"结果老太太进门一看，这个小伙子埋头写书，嘴上全是黑墨水。结果吃错了，他旁边一碗红糖水，他没喝，把那个墨水给喝了。但是他浑然不觉啊，还说，"可甜了可甜了"。这人是谁呢，就是陈望道，他当时在浙江义乌的家里，就是写这本书。于是由此就说了一句话：真理的味道非常甜。

如今,"复兴之路"展览的这个展厅,是游客合影留念最集中的地方。五年前,习近平就是在这里,发表了一场对中国社会产生深远影响的讲话。

习近平总书记(2012年11月29日在参观"复兴之路"展览时的讲话):

现在大家也在讨论中国梦,何为中国梦?我以为,实现中华民族的伟大复兴,就是中华民族近代最伟大的中国梦。因为这个梦想,它是凝聚和寄托了几代中国人的夙愿,它体现了中华民族和中国人民的整体利益,它是每一个中华儿女的一种共同期盼。

中国梦,点燃了当今13亿多中国人内心的蓬勃之火,也寄寓了中国人孜孜以求的美好之愿。

时光倒流80年。1932年11月1日,上海《东方杂志》发布一则启事,向各界知名人士提出两个问题,一个是"梦想中的未来中国是怎样?"另一个是"个人生活中有什么梦想?"142位名人参与了这一场梦想的征集,他们给出了各种各样的答案。

胡愈之是《东方杂志》的主编,他在征稿信中说:"梦是我们所有的神圣权利啊!"但正是因为这次征稿,惹恼了国民党当局和投资方,胡愈之在《东方杂志》只待了五个月就黯然离职。在那样一个时代,国家失去尊严,民族饱受屈辱,追梦何其艰难!

2013年3月,在第十二届全国人民代表大会第一次会议上,习近平当选为国家主席。他在闭幕会上的讲话中,9次提到中国梦。

习近平总书记（2013年3月17日在第十二届全国人民代表大会第一次会议上的讲话）：

实现中国梦，必须弘扬中国精神。中国梦，是民族的梦，也是每个中国人的梦。

一周后，首次作为国家主席展开外访的习近平，在莫斯科国际关系学院发表演讲，向全世界讲述中国梦。

习近平总书记（2013年3月23日在莫斯科国际关系学院发表的演讲）：

实现中华民族的伟大复兴，是近代以来中国人民最伟大的梦想，我们称之为"中国梦"，基本内涵就是实现国家富强、民族振兴、人民幸福。

从神话里的夸父逐日、愚公移山，《礼记》中的"小康""大同"，到近代以来仁人志士对未来中国的美好构想；从追寻中国梦，到共圆亚洲梦、世界梦，中国人从来没有失去梦想的能力，也从来没有停下逐梦的脚步。

实现中华民族伟大复兴的中国梦，是人民的夙愿。而实现这一伟大目标，就要找准一条符合中国实际的正确道路。在新的历史起点上，举什么旗、走什么路的问题，迫切需要解答，也时刻面临追问。

关心中国时局的人会发现，党的十四大以来，每次党代会召开前，党的总书记都会着眼于党和国家发展的一系列重大问题，发表一次重要讲话。

2017年7月26日，省部级主要领导干部"学习习近平总书记重要讲话精神，迎接党的十九大"专题研讨班在北京举行。

新闻联播（2017年7月27日）：

中共中央总书记、国家主席、中央军委主席习近平发表重要讲话强调，中国特色社会主义是改革开放以来党的全部理论和实践的主题，全党必须高举中国特色社会主义伟大旗帜，牢固树立中国特色社会主义道路自信、理论自信、制度自信、文化自信，确保党和国家事业始终沿着正确方向胜利前进。

时间回到五年前。2012年年底，全球各大媒体像往年一样，发布了当年的国际十大新闻。与"新一代政治家领导中国"一起上榜的，还有叙利亚僵局、"阿拉伯之春"、欧元区危机、反美抗议浪潮……人们隐约感受到，当习近平等新一届中央领导集体登台亮相之时，世界并不安宁，前路未必平坦。

更多的事实在佐证人们的这一判断。此时的世界，正处在大发展、大变革、大调整的时代，国际金融危机影响深远，世界经济动荡因素增多，诸多全球性问题日益凸显。

而在中国国内，改革开放和社会主义现代化建设取得举世瞩目的成就，但随着中国进入改革攻坚期、发展关键期、矛盾凸显期，各种深层次矛盾和问题不断涌现，各类风险和挑战不断增多，意识形态领域斗争复杂，诸多问题交织在一起。

中共中央党校副校长　甄占民：

五年前的局面是什么，简单地讲，就是小平同志讲过的一句话：发展起来以后的问题不比不发展时少。

13亿多人口的最大发展中国家、960多万平方公里的辽阔大地、世界第二的经济体量……想要了解偌大一个中国，就已经是一个世所罕见的难题，而要带领这样一个大国跨越"历史的三峡"，有效应对重大风险挑战、克服重大矛盾阻力，更是一项严峻复杂的挑战。

新加坡著名学者　郑永年：

我们总是说"时势创英雄"，我觉得就是我们这个时代，需要出现这样一个人物，政治领袖，对付这些问题。你要认清这个国家的发展方向在哪里，往哪个方向发展。

2012年11月17日，新华社受权全文发布党的十八大报告。人们从报告中看到了这样的表述，"我们坚定不移高举中国特色社会主义伟大旗帜，既不走封闭僵化的老路、也不走改旗易帜的邪路"。

中央文献研究室副主任　陈晋：

什么是"老路"？就是超越社会主义初级阶段这个最大的国情，动摇和否定改革开放的那么一种路；什么是"邪路"？就是抛弃科学社会主义基本原则，照搬西方资本主义的这种模式的那么一种路。提出绝不走老路、绝不走邪路，这就澄清了社会上存在的各种认识误区和错误主张。

新的历史关口，新的伟大斗争，更加彰显道路之重要、方向之关键。就在党的十八大报告全文公布的同一天，中央政治局组织第一次集体学习，主题就是坚持和发展中国特色社会主义。

2013年3月17日,在提出"中国梦"三个多月后,习近平这样阐述中国特色社会主义道路与中国梦的关系。

习近平总书记(2013年3月17日在第十二届全国人民代表大会第一次会议上的讲话):

实现中国梦必须走中国道路。这就是中国特色社会主义道路。全国各族人民一定要增强对中国特色社会主义的理论自信、道路自信、制度自信,坚定不移沿着正确的中国道路奋勇前进。

中国梦,是中国人经历了漫漫长夜孕育的梦想,而中国道路,也是中国人在苦苦探寻之后选择的道路。

面对近代中国山河破碎、生灵涂炭的悲惨境地,孙中山第一个响亮喊出"振兴中华"的口号,为推进民主革命四处奔走,奋斗终生。在革命思潮的影响下,1903年,一位18岁的留日学生回到祖国,他写下《革命军》一书,署名"革命军中马前卒邹容"。在书中,他热情赞颂革命,振聋发聩地提出建立"中华共和国"。两年后,邹容在狱中牺牲。追求资产阶级民主共和的革命者,没能穿透历史的迷雾,找到一条实现梦想的正确道路。

就在邹容牺牲30年后,一位共产党人在狱中写下著名的篇章——《可爱的中国》。对于未来中国是什么模样,他在书中做了这样的描绘:"朋友,我相信,到那时,到处都是活跃的创造,到处都是日新月异的进步,欢歌将代替了悲叹,笑脸将代替了哭脸,富裕将代替了贫穷……我们民族就可以无愧色地立在人类的面前，而生育我们的母亲，也会最美丽地装饰起来，与世界上各位母亲平等地携手了。"

写完《可爱的中国》三个月后，方志敏英勇就义。他和无数共产党人一样，没能亲眼见到畅想中的一幕幕场景。但通向这个光明前景的道路，在以毛泽东为代表的中国共产党人的英勇奋斗下，已经清晰可见。

2014年4月，习近平在被称为"欧洲政治精英摇篮"的欧洲学院，向师生们讲起了这条中国道路的故事。习近平说，中国人苦苦寻找适合中国国情的道路。君主立宪制、复辟帝制、议会制、多党制、总统制都想过了、试过了，结果都行不通。最后，中国选择了社会主义道路。在建设社会主义实践中，我们有成功也有失误，甚至发生过严重曲折，改革开放以后，在邓小平先生领导下，我们从中国国情和时代要求出发，探索和开拓国家发展道路，形成了中国特色社会主义。

中国特色社会主义是建立在我们党长期奋斗基础上，在改革开放的历史时期开创的。习近平反复强调，"道路问题是关系党的事业兴衰成败第一位的问题，道路就是党的生命"，"决不能在根本问题上出现颠覆性错误"。

而这，既是这个96岁的政党一步一步走来得出的历史结论，也是纵观国际风云之后，饱含血与泪的现实镜鉴。

2015年9月，这样一张照片震撼了全世界。3岁的叙利亚男孩艾兰在和家人偷渡前往希腊的途中遇难，人们在海滩上发现了他小小的身体。

艾兰的姑姑　蒂玛·库尔迪：

他们是去奔向更好的生活，这不应该发生，这不应该发生在他们身上。

在一些西亚、北非国家，人们的生活原本安静和煦，如今却成为世界的火药桶和最严重的难民输出国。

叙利亚难民：

只有饥饿，没有吃的，没有喝的，没有任何东西。

仅叙利亚，就有1000多万人背井离乡。

联合国秘书长　古特雷斯：

对于他们的困境我们无能为力，我们只能减轻他们的痛苦，就像给患有肺炎的人服用阿司匹林，阿司匹林可以稍微缓解一下痛苦，但不能将疾病根治，治疗手段总是与政治相关。

在伊拉克、在叙利亚、在利比亚……水土不服的西式民主，让这些国家陷入战乱之中，而为此付出代价的却是普通的民众。他们在人类文明繁荣昌盛的21世纪，坠入了痛苦的深渊。

中共中央党史研究室副主任　吴德刚：

道路太重要了，那么从一些发展中国家情况来看，由于没有选择正确的道路，国家和民族的命运也有所不同，至今有些国家还陷入水深火热之中。习近平总书记指出，道路是关系党的兴衰成败的第一位问题，道路就是党的生命。

党的十八大以来，习近平以马克思主义政治家的清醒认识和历史担当，始终高举马克思主义这一精神旗帜。坚持和发展中国特色社会主义，是他始终强调的主题。习近平把握时代大势,回应实践要求,聚焦人民期待,发表了一系列重要讲话,深刻回答了我们从哪里来、到哪里去、走什么路、怎样行稳致远等一系列根本性、全局性的问题,进一步深化了对共产党执政规律、社会主义建设规律、人类社会发展规律的认识,形成了一个系统完整、逻辑严密的科学理论体系,为在新的历史条件下发展中国特色社会主义提供了有力的思想指导。

旗帜决定方向,道路决定命运。历史和现实都告诉人们,只有社会主义才能救中国,只有中国特色社会主义才能发展中国,也只有走这条道路,才能够实现中华民族伟大复兴的中国梦。

五年来,围绕"中国梦"这一共同梦想和"中国道路"这一具体路径,以习近平同志为核心的党中央举旗定向、谋篇布局、攻坚克难、强基固本,治国理政方略渐次展开,一系列新理念新思想新战略逐步形成,中国特色社会主义进入了新的发展阶段。

2015年9月24日,陕西延川县的梁家河村紧急开了一个会。

陕西延川县梁家河村党支部书记　石春阳:

23号县里通知参加一个紧急会议,结果当时去了一看,当时是9月22号习近平总书记在美国出访,讲他当年在梁家河插队的情况。

县里给梁家河村送来了刚刚刻好的演讲光盘。从小山村到大洋彼岸,隔着遥远的距离,但在这一时刻,老乡们感觉和总书记的心贴得如此之近。有人掐了一下表，总书记讲到梁家河的时间是4分零7秒。

习近平总书记（2015年9月23日在美国西雅图的演讲）：

上世纪60年代末，我才十几岁，就从北京到中国陕西延安市一个叫梁家河的小村子，我到那儿去当了农民，在那里度过了7年的时光。我很期盼的一件事是什么呢，就是让乡亲们饱餐一顿肉，并且今后能够经常吃肉。但是这个心愿在当时是难以实现的。

"宰相必起于州部，猛将必发于卒伍"，这是习近平经常引用的一句话。从陕西梁家河做村党支部书记，到河北正定县当县委书记，从福建宁德担任地委书记，再到浙江担任省委书记，习近平几乎完整经历了中国从村到省的地方治理过程。

习近平（2003年接受《东方时空》采访）：

我觉得我还是一个比较努力的人，还是一个能够自己去提醒自己，约束自己，为了一个目标去实施的人，而且现在还在继续坚持着，我也希望我一辈子能够坚持下去，做成我既定的人生的事情，而这个事情呢，我觉得不多，我想就是为老百姓多做一些事情。

从作为村支书的习近平"让乡亲们饱餐一顿肉"的梦想，到作为总书记的习近平"实现中华民族伟大复兴"的梦想，时间在改变，岗位在改变，不变的是一名共产党人为人民幸福、国家富强而执着奋斗的初心。当他担任党和国家最高领导人之后，他就以强烈的历史责任感、深沉的使命忧患感、顽强的意志品质，站到了时代的最前台，擘画治国理政的重大方略，不断开辟中国特色社会主义发展新境界。

2014年12月13日，习近平赴江苏调研。调研的第二天，他听取了江苏省委和省政府的工作汇报。正是在这个会场，习近平首次将全面从严治党与全面建成小康社会、全面深化改革、全面依法治国并列，由此提出了"四个全面"的战略布局。

江苏省委常委、宣传部部长　王燕文：

我当时一边在听，一边在记，觉得眼前一亮，全面从严治党和前面三个全面一并提出，一并论述，这是第一次。

党的十八大以来，"四个全面"沿着一个清晰的逻辑逐步展开，最终构建起党中央治国理政的总体框架。

党的十八大，全面建成小康社会的战略目标被首次提出。从"建设"到"建成"，一字之变彰显庄严承诺和必胜信心。兜底线、补短板，打赢脱贫攻坚战，小康路上一个都不能掉队。

十八届三中全会，拉开全面深化改革的大幕。啃硬骨头、蹚深水区、刀口向内、壮士断腕，在这场人类历史上规模空前的改革大潮中，每一个人都是参与者和受益者。

十八届四中全会，全面依法治国按下"快进键"。法治国家、法治政府、法治社会一体建设。司法机关校准天平、放下身段，让人民群众在每一个司法案件中都感受到公平正义。

十八届六中全会，全面从严治党首次成为中央全会的主题。打铁还需自身硬。党中央坚定不移"打虎拍蝇猎狐"，扎紧制度的篱笆，营造风清气正的政治生态。

从十八大到十八届六中全会，一步一个台阶，抓铁有痕、踏石留印、善作善成，"四个全面"形成一个科学系统、环环相扣的战略布局，进一步丰富和发展了中国特色社会主义。

而在2015年召开的十八届五中全会上，以习近平同志为核心的党中央基于对发展规律的新认识，提出了创新、协调、绿色、开放、共享的新发展理念——

创新发展，抢抓机遇，让创新驱动成为"中国号"列车的强劲引擎。

协调发展，善"弹钢琴"，下好新时期发展的全国一盘棋。

绿色发展，为千秋万代负责，不欠子孙债，留下绿水青山。

开放发展，张开怀抱，顺势而为，担当经济全球化的积极推动者。

共享发展，以人民为中心，使发展成果更多更公平惠及全体人民。

十八届五中全会的另一个重大成果，是制定通过了新中国的第13个五年规划，串接起了人类历史上最宏大的现代化进程，显示了中国共产党非凡的战略规划能力。

当人们回顾五年前党的十八大报告，对这种战略规划能力的感悟就会更深。正是在这份报告中，提出了"两个一百年"的奋斗目标和"五位一体"的总体布局。"两个一百年"为实现中华民族伟大复兴的中国梦指明了清晰的目标。经济建设、政治建设、文化建设、社会建设、生态文明建设"五位一体"的总体布局，则为实现目标明确了努力的领域和方向。

时代是思想之母，实践是理论之源。党的十八大以来的伟大实践，形成了中国特色社会主义的一系列重大成果。最重要的政治成果，就是确立了习近平总书记在党中央、在全党的核心地位，党的领导这个中国特色社会主义最本质的特征、当代中国最大的政治优势得到全面加强。最重大的理论成果，就是习近平总书记系列重要讲话精神和治国理政新理念新思想新战略，成为全党全国人民团结奋进的精神旗帜、思想武器和力量源泉。最突出的实践成果，就是"五位一体"总体布局和"四个全面"战略布局全面展开，新发展理念深入人心，中国的发展正在向着更高质量、更有效率、更加公正、更可持续的方向前进。

回望五年，纵观神州，发生的变化既是宏观壮阔的，也是细微动人的，普通的中国人都能亲身感受到。一幅中国特色社会主义事业发展的新画卷，正在中华大地徐徐展开。

这里是位于中国大西北的宁东能源化工基地。中国的产业工人要在这里完成一个梦想，把煤制成油，将"黑"变为"白"。

神华宁夏煤业集团党委书记　邵俊杰：

外国公司一直在技术上卡我们的脖子，后来我们通过自己国有技术成功以后，我们才能真正实施自己的煤制油项目，从现在单体规模来说，我们是世界第一的。

2016年7月19日下午，就在煤制油工程项目进入最关键的阶段，工地上来了一位特殊的客人，为工人们"加油"。

神华宁夏煤业集团煤制油分公司员工　王红侠：

总书记来没有安排讲话，但是临上车的时候他突然问：有没有麦克？很快这个麦克风就递给了习总书记，这个时候习总书记已经开始讲话了。

习近平总书记（2016年7月19日宁夏银川）：

我这个心情，也很激动，看到我们社会主义的康庄大道，社会主义的大厦在一砖一瓦地建起来，看到我们在场的这些工人兄弟姐妹们，我更加感谢你们，对你们充满了敬意，社会主义是干出来的！展望中国的未来，前途无限，"两个一百年"在前面，胜利在望，但是我们的事业呢就是要不断地接续努力，持续前行，中华民族的事业不能停顿，因为我们这个民族，我们积蓄的能量太久了，要爆发一下，爆发了干什么呢，就是实现我们中华民族伟大复兴的中国梦。

2016年12月28日，经过数万名建设者历时39个月的奋战，煤制油工程项目终于成功打通全流程，埋藏地下千百万年的煤，变成优质成品油，汩汩流淌。

三天之后，习近平向全球发表2017年新年贺词。继上一年提出"只要坚持，梦想总是可以实现的"之后，他再次谈及梦想。

习近平总书记（2017年新年贺词）：

新故相推，日生不滞。全面建成小康社会，全面深化改革，全面依法治国，全面从严治党，要继续发力，天上不会掉馅饼，努力奋斗，才能梦想成真。

中国特色社会主义，是历史逻辑、理论逻辑与实践逻辑的有机统一。社会主义中国的精彩实践和辉煌成就，有力证明了社会主义的蓬勃生机和时代魅力。

党的十八大以来，在新中国成立特别是改革开放以来我国发展取得重大成就基础上，中国特色社会主义事业又迈出了新的步伐。

全面深化改革呈现出全面发力、多点突破、纵深推进的崭新局面，国家治理体系中具有四梁八柱性质的改革主体框架已经基本确立。全面依法治国扎实推进，开启中国法治新时代。党对意识形态工作的领导进一步加强，全党全社会思想上的团结统一更加巩固。生态文明建设推动形成绿色发展方式和生活方式，美丽中国建设迈出坚实步伐。国防和军队改革取得历史性突破。中国特色大国外交赢得国际社会广泛认同。全面从严治党坚定不移，持续推进，全党理想信念更加坚定、党性更加坚强，党自我净化、自我完善、自我革新、自我提高能力显著增强，党的执政基础和群众基础更加巩固。

不忘初心，继续前进！思想的光芒辉映伟大梦想，实践的伟力熔铸中国道路。

习近平总书记（2016年5月17日在哲学社会科学工作座谈会上的讲话）：

我们走自己的路，具有无比广阔的舞台，具有无比深厚的历史底蕴，具有无比强大的前进定力，每一个中国人都应该有这个信心。我们说要坚定中国特色社会主义道路自信、理论自信、制度自信，说到底就是坚定文化自信。

今天，这个政党的自信，这个国家的自信，与国人发自内心的自信，交汇在了一起。这份自信，来源于我们高举的旗帜，来源于我们所走的道路。这份自信，也必将照亮进行伟大斗争、建设伟大工程、推进伟大事业、实现伟大梦想的新征程。

不忘初心、继续前进！以习近平同志为核心的党中央，正在团结带领中国人民夺取中国特色社会主义新的胜利，开创新的历史，这将是展示人类智慧与雄心的无与伦比的壮丽篇章，值得全世界屏息以待！

第二集

人民至上

第二集《人民至上》完整视频

这是一块被黄河滋养的热土、由黄土积淀的高原,是在中华文明史和中国革命史上都占据着重要位置的地方。1945年4月,中国共产党第七次全国代表大会在这里召开。那次大会确立了党的指导思想——毛泽东思想,也明确了党的根本宗旨——全心全意为人民服务。

整整三十年以后,也是一场伟大变革即将到来的时候,一个22岁的青年,从这里出发。多年以后,他回忆说,陕北高原是我的根,因为这里培养出了我不变的信念——要为人民做实事。

习近平总书记(2012年11月15日人民大会堂):

我们的人民热爱生活,期盼有更好的教育、更稳定的工作、更满意的收入、更可靠的社会保障、更高水平的医疗卫生服务、更舒适的居住条件、更优美的环境,期盼孩子们能成长得更好、工作得更好、生活得更好。人民对美好生活的向往,就是我们的奋斗目标。

当一个日子被赋予了特别的内涵,时间就有了新的意义。2015年10月16日,在第23个全球消除贫困日到来的时候,2015减贫与发展高层论坛在北京举行,习近平向全世界讲述了一个耐人寻味的中国故事。

习近平总书记(2015年10月16日减贫与发展高层论坛):

回顾中国几十年来减贫事业的历程,我有着深刻的切身体会。上个世纪六十年代末,我还不到16岁,就从北京来到了陕西省北部的一个小村庄当农民,一干就是七年。那个时候中国农村的贫困状况给我留下了刻骨铭心的记忆。我当时和村民们辛苦劳作,目的就是让生活过得好一些,但是在当时,几乎比登天还难。四十多年来,我先后在中国的县、市、省、中央工作,扶贫工作始终是我工作的一个重要内容,我花的精力也最多。

2013年元旦前夕,刚刚就任总书记一个半月的习近平,来到河北省阜平县考察扶贫开发工作。临行前习近平要求,不许安排,不能导演,要看真贫。

总书记:你好,来的地方不多,但是我想看到我们现在真正的山村,像老唐你们这样的,现在都是怎么过日子的。

阜平县骆驼湾村村民唐荣斌:我看你盘不了腿,不会盘腿。

总书记:我会,试试吧。盘腿没问题。你们平常都吃什么呢?

唐荣斌妻子:您一块吃点吧。

总书记:五谷丰登的感觉。

在这次考察中，习近平提出了一个发人深省的重要问题：平均数会掩盖差距。总书记后来还多次强调过，我们不仅要看平均数，更要看大多数，尤其不能忘记困难户。群众的冷暖都是具体到每一个人、每一个具体问题上的。如果我们心里真正装着群众，就不会一叶障目。

习近平还当场拿农村危房改造举例说，作为一项重要民生工程，要作为一件实事摆在那里。哪怕一次改造量少点，但做一件是一件，让人看了，确实觉得党和政府办得好。总书记强调要把人民的感受当作比单纯的数量更重要的标准。

"人民"，是中国共产党写在旗帜上、放在心头上的称谓。"为人民服务"，是这个无产阶级政党从未改变的根本宗旨。一切为了人民，是中国共产党出发的原点、立党的"初心"，更是治国理政新理念新思想新战略的出发点和落脚点。

习近平总书记（2015年10月16日减贫与发展高层论坛）：

这两年我又去了十几个贫困地区，到乡亲们家中同他们聊天。他们生活存在困难，我感到揪心，他们生活每好一点，我都感到高兴。

2013年11月3日，习近平来到湖南湘西花垣县双龙镇十八洞村考察扶贫开发。

石拔三：六十多。

村主任施金通：六十多。

总书记：六十几？

村主任施金通：六十四。

总书记：村里的话现在大部分都做什么？

村主任施金通：出去打工。

总书记：打工。

村主任施金通：家里有青壮年的才会打工，没有青壮年的那些就打不了工，就相当的贫困。

石拔三：我该怎么称呼他？

村主任施金通：总书记。她说怎么称呼您，我就跟她说，是我们中央的总书记。

总书记：人民的勤务员，人民勤务员。

村主任施金通：一直您没有来，今天终于把您盼来了。

在十八洞村，习近平发表了一次影响深远的重要讲话。

习近平总书记：

今天我就是来看望大家一下。我感觉是什么呢，就是这里确实是一个比较边远、生存条件不利的地方。这个条件你改变不了，愚公移山也改变不了。在我们承认这样一个现实条件的情况下，我们怎么事在人为，做好我们可以做的事情。所以我们在抓扶贫的时候，切忌喊大口号，也不要定那些好高骛远的目标。把工作要做细，实事求是、因地制宜、分类指导、精准扶贫。

由此，精准扶贫的理念传遍全国，成为指导脱贫攻坚的金钥匙。成千上万个十八洞村的命运开始得到本质的改变。

总书记一语道出了全面建成小康社会的显著标准：小康不小康，关键看老乡。

2014年年初，花垣县派出的精准扶贫工作队来到十八洞村，与村民同吃同住同劳动。工作队进村后，从精准入手为贫困山村寻找脱贫路。

村民们得了实惠、有了奔头，日子一天比一天红火，心气一天比一天高涨。

花垣县精准扶贫工作队原队长　龙秀林：

全村老百姓团结一心，没有资金我们也能干得好事情。所以通过两年多的时间，我们十八洞人提升了一种精神，什么精神呢？那就是投入有限、民力无穷、自力更生、建设家园。

2015年元旦，十八洞村45岁的村民施全友，讨了一个新媳妇，成为精准扶贫实施以来村里第一个成亲的大龄单身汉。

十八洞村村民　施全友：

托共产党的福，托习主席的福，所以我们才有这个平台，才有这个机会改变这么大。

在2016年的两会上，总书记在参加湖南代表团审议时，又提起十八洞村。当得知贫困山村通过精准扶贫发生变化，两年多人均收入翻了一番多，7名大龄青年脱单的消息，总书记很高兴。

习近平总书记（2016年3月8日人民大会堂）：

打赢脱贫攻坚战，根本方法在于精准，这是我在2013年在湖南湘西考察时，首次提出的精准扶贫，否则就是"手榴弹炸跳蚤"，不解决问题。看起来热热闹闹，你没有点到穴位上。

不图热闹，要看实效！

这不仅是经济发展的方式选择，更是反映着党的群众路线和执政理念的政治抉择。

独龙族世世代代生活在高黎贡山壮美的峡谷中。改革开放后，政府为独龙族同胞修通了一条公路，但每到冬季大雪封山，海拔3000米的雪线以上就无法通行了。要让道路四季通畅，唯一的办法就是通过高黎贡山，在雪线之下打出一条隧道，把大山两侧的世界直接连通起来。

2014年4月10日，一条长达7公里的高原隧道正式贯通，独龙族一个延续了千百年的梦想得以实现，一个民族的历史由此改写。就在隧道开通前，几位独龙族乡亲曾写了一封信向总书记报喜，让乡亲们没想到的是，他们的信很快得到了总书记的批示。

习近平总书记（2015年1月20日云南省昆明市）：

实际上我们见面并不陌生，因为我们已经有了书信的往来。独龙族，这个名字就是周总理起的。6900多人，人口不多，但是她是我们中华民族，56个民族大家庭的平等的一员。全国56个民族，一个民族都不能少，都要全面地实现小康。

全面建成小康社会，13亿多中国人民一个都不能少。

少数民族一个都不能少，

贫困群众一个都不能少，

革命老区一个都不能少！

习近平总书记（2016年新年贺词）：

让几千万农村贫困人口生活好起来，是我心中的牵挂。我们吹响了打赢扶贫攻坚战的号角，全党全国要勠力同心，着力补齐这块短板，确保农村所有贫困人口如期摆脱贫困。对所有困难群众我们都要关爱，让他们从内心感受到温暖。

党的十八大以来，中央共安排专项扶贫资金近3000亿元，全国农村累计脱贫5564万人，这相当于一个中等规模国家的人口总量。在短短五年的时间里，取得这样的减贫成就前所未有。其中民族地区，贫困程度深的难点地区，受益最多。

国务院扶贫开发领导小组副组长，扶贫办党组书记、主任刘永富：

像西藏，我们动员了东中部的17个省和17个中央企业来帮助它。我们对于新疆的南疆地区，我们动员了东中部的19个省，还有一大批的中央企业对他们进行重点的帮扶。那么从产业的合作，人员的交流，资金的帮助，方方面面对它进行支援，确保能够按期脱贫摘帽。

到2020年，我国现有标准下的农村贫困人口全部脱贫的目标正在顺利推进。联合国2030年可持续发展议程确定的减贫目标，将在中国提前十年实现。届时，中国将兑现向全体人民立下的军令状、履行对世界的承诺。我国绝对贫困问题将得到历史性解决，中国将继续走在全球减贫事业的前列。

2015年2月13日，习近平来到陕西考察调研，第一站他来到梁家河村。

习近平总书记（2015年2月13日陕西省延川县梁家河村）：

离开这里四十年，来到这里距现在已经是四十七年了，1969年，四十六年。当时放羊啊，就把羊圈在这么一个山帽上,然后我就坐在那儿就看书了,看书、冥想。

习近平曾经总结说,在他的一生中,对他帮助最大的,一是革命老前辈,一是陕北乡亲。在梁家河七年的艰苦磨砺,锻造了他的政治初心。

习近平总书记(2015年2月13日陕西省延川县梁家河村):

这人丁兴旺啊。今天能够回来看一看,我心情是很激动的。人生我的第一步迈出来,就是到咱们梁家河,在这里选择了我的道路。我从那个时候我就说,今后如果有条件有机会,我要从政,做一些为老百姓办好事的工作。

做一些为老百姓办好事的工作——这样的初心,在四十年前,像种子一样埋进了习近平的心里。今天,他表达了更为坚定的责任和担当:要让13亿人有更多的获得感。

2015年2月27日,习近平在中央全面深化改革领导小组第十次会议上指出,要科学统筹各项改革任务,推出一批能叫得响、立得住、群众认可的硬招、实招,把改革方案的含金量充分展示出来,让人民群众有更多的获得感。"获得感"一词由此迅速流行,成为衡量改革成效的重要标准。

获得感或许无法用工具度量,但却可以用人心映照。

2016年4月24日,习近平来到安徽金寨县花石乡大湾村走访村民、看望低保户。

总书记:老汪,来看望你们。身体有一些病是吧?

村民:就是。

总书记:你是有高血压是吧,高血压现在还高吗?

村民：昨天在县里面量187，在乡里量168。

总书记：低压多少？

村民：低压110多。

总书记：够高的，吃药吗平常？

村民：长期吃药。

总书记：长期吃药。那像你这种长期吃药，一年这个高血压的药要吃多少钱？

村民：要吃两三千块钱。

总书记：两三千吧？

村民：对，一天两次。

总书记：现在他们这个医保的话，能够给他们补助多少钱呢？

金寨县工作人员：她是新农合，新农合是这样，她必须要进慢性病的目录，她现在没有进目录。

在与村民座谈时，习近平用一个"兜"字，强调要完善医疗保障制度，织就更密实的民生保障网。

习近平总书记（2016年4月24日安徽省金寨县大湾村）：

我们时常会发生病的问题、残的问题，这个就靠兜底措施。不光是农村这样，城里也要这样。再一个呢，就是把我们的医保、新农合，把他这个大病这一块，能够有更多的扶持。否则这一块的话，花的钱是比较多的。因病致贫占的比重比较大，而且这个事会长期发生下去，不仅在这五年，今后还会有，长期会有。

四天以后，国家卫计委会同国务院扶贫办，全面启动了农村贫困人口因病致贫、因病返贫建档立卡调查工作。

国家卫生和计划生育委员会主任、党组书记　李斌：

按照总书记讲话的要求，我们组织全国的80万基层工作人员，对全国553万户700多万人的因病致贫的这些情况，建立了数据库进行动态管理，这样解决当地最突出的健康扶贫的问题和短板。

短短一年多时间，全国各地相继出台切实可行的保障政策，而在更广阔的范围内，中国历史上水平最高、世界上规模最大的基本医疗保障网，也已在新一轮医改"保基本、强基层、建机制"的基本原则下迅速织就。

在江苏，随着医改分级诊疗制度的全面推开，90%以上的乡镇居民，享受到了在社区基层卫生院看病带来的便利。

社区居民：

我的手术全部是他做的。每个星期过来一次，反正到这来不要跑远，就在家门口就复查了。

我到这边来方便，因为他对我的病情了解啊。我一讲他就知道了。很方便的，很好。

没有全民健康，就没有全面小康。没有民族健康水平的不断提高，就谈不上民族复兴的伟大梦想。

截止到2015年，中国人口平均预期寿命已达到76.34岁，高于中高收入国家72.8岁的平均水平。健康中国已经上升为国家战略。到2020年，当我们全面建成小康社会、实现第一个一百年奋斗目标的时候，中国更将实现百分百人人享有基本医疗卫生服务的宏伟目标。

这是有着五千年文明史的中华民族的宏图大愿，这是有着七十亿成员的人类社会的辉煌壮举，它即将在一个崭新的时代里变成现实。

从乡村到城市，从一家一户到千家万户，民生事项千头万绪、千变万化。就业是民生之本，也是总书记始终关注的重点领域。

2013年5月14日，习近平来到天津市人力资源发展促进中心考察调研。

工作人员：总书记好，我是求职登记窗口的。

总书记：最初的环节是到这里来吗，还是已经基本谈得差不多了？

工作人员：她今天来是先做一个登记。

总书记：你们已经掌握一批单位了是吧？

工作人员：对，我们有空岗信息，根据她的情况给她再去找。

总书记：现在这个就业你们感觉压力大不大？

求职者：大，有点大。

习近平总书记（2013年5月14日天津职业技能公共实训中心）：就业是民生之本，同时就业也是世界性难题。无论你是多么发达的国家，它遇到的主要的问题也是就业问题。中国有13亿多人口，适龄就业人群非常庞大，就业矛盾一直比较突出。

这个问题党中央是高度重视，坚持把就业促进工作放在经济社会发展的优先位置。

正是在这次与高校毕业生、失业人员、农村富余劳动力等代表的座谈中，习近平着重提出，保障和改善民生是一项长期工作，没有终点站，只有连续不断的新起点，要实现经济发展和民生改善良性循环。

党的十八大以来，中央财政安排1000亿元专项奖补资金、转岗就业和扶持创业等多种方式，保持了就业稳定，有效应对了失业风险，确保零就业家庭至少有一人稳定就业。对900多万城镇登记失业人员的免费职业技能培训正在开展。每年有1300多万人找到新的工作。

人力资源和社会保障部部长　尹蔚民：

在经济下行压力加大，结构调整，新旧动能转换这样一个大的背景下，我国就业工作取得的成绩，为经济发展提供了基本的支撑，也为社会的稳定起到了压舱石的作用。

人口老龄化是世界性问题。在全球范围内，我国的老年人口数量最多，老龄化速度最快，应对人口老龄化任务最重。习近平强调指出：这事关国家发展全局、事关百姓福祉。

五年来，国家累计投入50亿元，建立起11万个社区居家养老服务中心、10万个农村幸福院。在浙江桐庐，汪亚君在政府鼓励下开办了这间养老服务中心。

浙江塘源村阳光养老服务中心主任汪亚君：对胃口吗？

社区居民：对胃口，大家都讲蛮好吃！

让 2.2 亿老人健康幸福地安度晚年，这是世界上绝无仅有的大工程。从 2013 年到 2017 年，全国企业退休人员基本养老金迎来"五连涨"，年均增幅达到 8.8%，高于全国居民人均可支配收入的增幅。农村贫困老人和困难群众，也可以通过低保获得扶助。按照近几年的增速预估，2017 年中国农村低保人均标准将比 2012 年再翻一番。

农村低保老人　顾德泰：

我这老两口都吃低保，快 70 岁也有养老金、医疗保险，这都参加了，盘古至今没有这种说法，老百姓特别高兴。

城市退休职工、老年公寓住户　李向珍：

反正我们在这住得很愉快，很踏实的心里，没有任何后顾之忧。吃的穿的都是照顾得很好，我们很高兴很满意。

2013 年 9 月 25 日，习近平向联合国"教育第一"全球倡议行动一周年纪念活动发表视频贺词时说：

习近平总书记：

首先，我代表中国政府和人民，对潘基文秘书长提出的"教育第一"的倡议表示坚定支持。

习近平强调，努力让每个孩子享有更好、更公平的教育，获得发展自身、奉献社会、造福人民的能力。

教育部党组书记、部长　陈宝生：

这五年所推行的改革措施，都是根据人民群众的新期待而提出的，这是对过去的一种状况的根本性的改变。国家财政对教育的支出，占国内生产总值的比重始终保持在 4% 以上，占公共财政支出的比重始终保持在17%左右,对我们这样一个发展中的大国来说,用于教育的支出达到这样的水平是空前的。

今天,中国九年义务教育的普及程度已经超过高收入国家的平均水平,高等教育的大众化程度不断提高。

全面改善贫困地区义务教育薄弱学校基本办学条件工程全面启动,工程规划投入5000多亿元,预计惠及4000多万人。这项工程,目前已经实现时间过半、任务完成过半。

视力、听力、智力三类残疾儿童义务教育入学率已超过90%。

学前教育纳入了公共教育体系,中央财政投入1032亿元。在城市,入园难正在逐步缓解。在偏远山村,更多学龄前儿童拥有了受教育的机会。四川大凉山这处悬崖顶端的阿土列尔村,被人们称为悬崖村。如今,政府牵头在村里建起了第一家幼儿园。往日无法走下大山的幼童,可以在家门口,分享学习的快乐,拥有多彩的童年。

新闻联播(2017年2月28日):

2月28号上午,习近平主持召开中央财经领导小组第十五次会议。习近平指出,紧紧把握房子是用来住的,不是用来炒的的定位,深入研究短期和长期相结合的长效机制和基础性制度安排。

住房问题既是民生问题也是发展问题,关系千家万户切身利益,关系社会和谐稳定。总书记强调,规范住房租赁市场和抑制房地产泡沫,是实现住有所居的重大民生工程。

到2016年，全国城镇居民人均住房建筑面积达到36.6平方米，农村居民人均住房建筑面积达到45.8平方米，分别比2012年增长了11.1%和23.3%。2016年，全国棚户区改造，新增投资1.48万亿元，开工总量新增606万套，超过了600万套的计划目标。

棚改居民：

高兴，特高兴，要住新房了。

越来越多的新市民，搬进安居房，住进公租屋，圆了住房梦。

幸福生活需要守望，危难时刻则有更多牵挂。2015年1月，习近平新年首个调研地点选择了云南，在鲁甸地震灾区，他走进了一户户受灾群众的家。习近平曾经说，要面对面、心贴心、实打实做好群众工作，把人民群众的安危冷暖放在心上，雪中送炭，纾难解困。这份关怀，灾区群众感受最深。

总书记：发的这衣服还可以吧？

受灾群众：特暖和。

总书记：你是家里主人吧？

孩子：习爷爷好。

总书记：你好。现在这个你们生活还行吧。

受灾群众甘永彬：行，挺好。

受灾群众：他们都照顾得很好的。

受灾群众甘永彬：党中央和当地政府给我们这个生活，给了半年伙食补贴。

总书记：补助。

受灾群众甘永彬：这些补助都到了。

总书记：补助他们都有吧？

时任云南省委书记李纪恒：都有，每个人都有。

总书记：住这个棉帐篷还行吗？

受灾群众：还行，还行。

总书记：还是暖和的。

习近平总书记（2015年1月19日云南鲁甸地震灾区）：

一直牵挂着你们这里，一直在惦记着你们。到底这里大家安置好了没有？你们有没有房子住？能不能吃上一口热饭？老人家有没有安置？孩子们有没有上学？在这个受灾的时候，生病能不能得到治疗？现在我们关心的是，你们现在安置得怎么样？还关心着你们的重建怎么样？接下来把重建家园的工作搞好。我们抗震救灾夺取胜利，我们建设更加美好的家园，创建更加幸福的生活。

三年过后的今天，鲁甸灾区的生产生活条件和经济社会发展水平不仅得到了全面恢复，甚至还超过了灾前水平。"户户安居、家家有业、乡乡提升、生态改善、设施改进、经济发展"的重建目标基本实现。

治国有常，而利民为本。

党的十八大以来，中国经济保持了中高速的增长，对全球经济增长的贡献率超过30%。物价连续保持稳定，居民消费价格涨幅在3%以下，百姓收入增速与经济增速基本同步。农村居民的收入增速高于城市居民,收入差距逐步缩小。

2016年,全国居民恩格尔系数为30.1%,比2012年下降2.9个百分点,接近联合国划分的20%至30%的富足标准。

这五年,人们的获得感就记录在医疗保障的手册上。越是贫困户,越是危重病,就越能体会到由它带来的安心。

这五年,人们的获得感就安放在新建的教室里。越是偏远乡村、贫困学生,就越能读到它所带来的希望。

这五年,人们的获得感就如同穿行在最美风景中、纵横在神州大地上的中国高铁。越是从崎岖中走过,越是在砥砺中奋进的人们,就越懂得它的来之不易,就越珍惜它的荣耀和自豪。

这五年,以习近平同志为核心的党中央,以人民为师、与人民同行,始终坚持发展为了人民、发展依靠人民、发展成果由人民共享的根本原则。不断从人民的需要中发现问题,不断从人民的满意中得到检验。人民的拥护,是对这五年成就的最好证明。人民的期待,是我们继续走向光明未来的最强动力。

习近平总书记(2017年6月21日山西省忻州市岢岚县):

人民群众对美好生活的向往,就是我们的奋斗目标。所以现在中国共产党,就是要带领大家一心一意脱贫致富,让我们人民群众的生活越过越好,芝麻开花节节高。请乡亲们,请我们的广大群众和党中央一起,撸起袖子加油干!

第三集 攻坚克难

第三集《攻坚克难》完整视频

2012年1月25日,达沃斯小镇,在冬日的风雪中,开启了观察全球格局变幻的窗口。

世界经济论坛主席　克劳斯·施瓦布:

每年我们都会觉得面临前所未有的挑战,也许资本主义这个词已经不足以描述当今世界的复杂局面。

旧格局消解,新力量崛起,人类社会走到了历史的分水岭。在充满不确定性的世界变局中,谁能审时度势提出变革?谁能大刀阔斧推行改革?谁能承担变革带来的阵痛?谁又能真正把变革进行到底?国家之间在相互打量。

五年之后,一位中国领导人来到达沃斯。面对五年前困惑全球政治家的问题,他用自己的实践给出了一个大国的回答。

习近平总书记(2017年1月17日达沃斯世界经济论坛):

近四年来,我们在前三十多年不断改革的基础上,又推出了1200多项改革举措。中国坚持通过改革破解前进中遇到的困难和挑战,敢于啃硬骨头,涉险滩。

环顾世界，没有任何一个国家，能够像今天的中国这样，以言出必行的果敢、只争朝夕的进取，推进规模如此宏大、影响如此深远的改革。

这条道路绝非坦途，更无捷径，唯有非凡的改革家和彻底的实干家，才能踏上这条攻坚克难之路。

76岁的邓志标是改革开放先富起来的那代人。他所在的渔民村与香港一河之隔，1979年成为全国第一个"万元村"。1984年1月25日，邓志标见到了中国改革开放的总设计师。

深圳市渔民村原村委会主任　邓志标：

小平同志问我们（村支部）书记，书记你现在还有什么担心没有，当时我们书记说，有。（小平）说你担心什么，我担心党的政策会变。小平听到他说这句话以后笑起来了，他说，党的政策肯定要变的，但是只能向好的方面变，不会向坏的方面变。

时隔28年，邓志标在渔民村见到了一位新的领导人。

习近平总书记：照片里就是你？

邓志标：是，是。

习近平总书记：你看发生多大变化。

邓志标：对，对，对。感谢共产党。

习近平总书记：改革开放好。

邓志标：改革开放好。

这是习近平担任党的总书记后首次离京考察，首站选择了改革开放的前沿重镇深圳，其含义不言而喻。

习近平总书记（2012年12月8日在广东省委干部座谈会上的讲话）：

确实来这里触景生情，每每走到一些地方，我都想起当年的事情。感触良多，感慨系之。

习近平总书记（2012年12月8日在深圳莲花山前的讲话）：

现在我们也看到了，党中央作出的改革开放的决定是正确的，我们今后仍然要走这条正确的道路，富国之路，富民之路，要坚定不移地走下去，而且要有新开拓，要上新水平。

而此时的中国，正面临着新的历史关口。改革开放三十年，中国奇迹令世界惊叹。

然而，在这举世瞩目的成就背后，发展不平衡、不协调、不可持续的问题逐渐显现。教育、就业、生态环境、食品药品安全等关系群众切身利益的问题较多，社会矛盾更趋复杂，形式主义、官僚主义、享乐主义和奢靡之风问题突出，反腐败斗争形势严峻。前所未有的新矛盾、新问题，交织在了一起，中国的改革亟待迈向新征程。

通过莲花山上的这一番讲话，习近平向全党发出了"改革再出发"的动员令。

2013年4月，中央政治局决定，即将举行的党的十八届三中全会，将专门研究深化改革问题并作出决定。

改革千头万绪，习近平果断拍板：从三个方面集中突破。

中共中央政策研究室原副主任　郑新立：

集中解决制度性的问题，集中解决社会矛盾比较尖锐的问题，集中解决群众反映比较强烈的问题。

以问题为导向，敢于碰硬，统筹推进、重点突出，习近平的改革决心坚如磐石，改革思路日渐清晰。

习近平总书记（2013年10月7日亚太经合组织工商领导人峰会）：

我们认识到，改革是一场深刻的革命，涉及重大利益关系调整，涉及各方面体制机制完善。中国改革已进入攻坚期和深水区，这是因为当前改革需要解决的问题格外艰巨，都是难啃的硬骨头。这个时期就要一鼓作气，瞻前顾后、畏葸不前，不仅不能前进，而且可能前功尽弃。

2013年11月，党的十八届三中全会在北京召开。这次全会通过了《中共中央关于全面深化改革若干重大问题的决定》。全会提出了全面深化改革的总目标："完善和发展中国特色社会主义制度，推进国家治理体系和治理能力现代化。"同时，亮出了全面深化改革的路线图和时间表，涵盖15个领域，330多项改革举措，被海外舆论称作当今世界"最具雄心的改革计划"。

法国前外长　洛朗·法比尤斯：

当时中国宣布了很多改革措施，尤其是在我们关切的经济发展领域，这些（措施）无论对中国还是世界都是必不可少的。我曾有幸多次见过习近平主席。您提到的"领导力"这个词非常好，正是这一点使我深受触动，我感受到他兼具对国家内政的关心和长远的目光。

领导力的背后，是一个执政党领袖对这个国家的责任和担当。

习近平总书记（2013年11月12日中共十八届中央委员会第三次全体会议）：

改革面临的矛盾越多难度越大，越要坚定与时俱进、攻坚克难的信心，越要有进取意识、进取精神、进取毅力，越要有"明知山有虎，偏向虎山行"的勇气。

"图难于其易，为大于其细。天下难事，必作于易。天下大事，必作于细"。在十八届三中全会闭幕那天，习近平把这句自己早年间在《摆脱贫困》《之江新语》里都引用过的老子的话，送给了全党同志。

2013年12月30日，十八届三中全会闭幕不到两个月，中央深改领导小组就宣告正式成立，习近平亲自担任组长。

改革深处是多年沉积下来的固有做法，是相互牵绊的机制体制，是需要重新调整的旧的利益格局。没有强有力的指挥协调，没有全方位的协同配合，改革很难实现有效突破。

上海自贸试验区，是构建开放型经济新体制的一项重要改革实践，是我国新时期深化对外开放的一项重大举措。试验区从市场准入、市场运行，再到市场监管等多个环节进行试点。改革推进过程中，不可避免地触碰到体制障碍。

全国人大常委会副秘书长　信春鹰：

我们现在的很多法律，特别是行政领域的立法，大部分都是在上个世纪80年代、90年代制定的，那么当时的背景之下，很多法律里边都设了大量的行政许可。那么现在我们新一轮的改革，可能就面临着要取消这些许可，所以社会对原来法律里边的许可,或者是由法律的许可衍生出来的那些许可是多有抱怨。

每个抱怨的后面,就是改革要攻坚的地方,就是政府自我革命的地方。一枚公章代表一项行政权力,减少一枚公章,意味着行政许可的撤并,意味着法律条文的修改,意味着固有利益格局的重新调整。改革挺进到深处,考验的是全盘统筹与高效协同的能力。

全国人大常委会法制工作委员会副主任　许安标:

习近平总书记对改革和法治的关系有一个精辟的论述,说法治和改革如鸟之两翼,车之两轮,法治的特点是"定",改革的特点是"变",如何把这个"变"和"定"统一起来,而且不断地前进。

鸟儿如何展翅翱翔?车轮如何滚滚向前? 2013年,全国人大授权上海自贸试验区暂时调整有关市场准入法律规定。2016年,根据两年多试验,全国人大修改了《外资企业法》等四部法律,推动负面清单管理模式等一系列重大制度创新在全国复制推广。

为配合党的十八届三中全会决定推出的一系列改革举措,全国人大新制定、修改和废止的立法项目就超过了100件以上,真正体现"重大改革于法有据"。

中央深改领导小组负责改革的总体设计、统筹协调、整体推进和监督落实,平均一个月就召开一次会议。作为中央深改领导小组组长的习近平,从制定改革方案、总结改革方法到推动改革落实，都倾注了大量心血，体现了一名改革者的智慧和担当。

习近平总书记（2014年2月7日接受俄罗斯国家电视台专访）：

我本人是长期在地方工作，由西部走到东部，由基层走到中央。我深知中国在不同的地域、不同的层面所产生的这种不同的差异，所以考虑问题的话，一定要非常地全面，也要非常地辩证。处理中国的问题要善于"弹钢琴"，要把握住分寸，要注意处理好节奏和平衡，这个可能是我每天要思考的一个很基本的问题。

《习近平时代》主编、纽约大学终身教授 熊玠：

"非我其谁？"为什么我们可以说，习近平可以讲这句话？他经过很多灾难、考验。现在回头再想这也是对他很大的一个训练，他就能深知民间疾苦，深知中国社会的问题在什么地方。

这是一场决定当代中国命运的改革，不仅事关中华民族的复兴梦想，也影响着世界的发展格局。

习近平总书记（2013年7月23日在湖北考察调研）：

国外三百年的工业化，我们现在三十年就基本实现了。然后又要基本实现，又不承担这样集约实现可能带来的副产品和付出的代价，是不可能的事情。

2012年的中国经济，在经历了三十多年的快速增长后，增速开始持续下行，多个行业产能严重过剩，利润减少，环境事件频发，金融风险陡增。在湖北，习近平用"识水性"作比喻，告诉人们如何判断改革面临的复杂环境。

只有潜心分析、冷静观察，发现规律，才能中流击水、勇立潮头。

习近平总书记（2014年11月9日亚太经合组织工商领导人峰会）：

中国经济呈现出新常态，有几个主要特点：一是从高速增长转为中高速增长；二是经济结构不断优化升级；三是从要素驱动、投资驱动转向创新驱动。

习近平的这一段话，后来被反复引用。

"新常态"一词，描摹的正是中国这艘巨轮面临的新的"水情"。"高速增长"这个过去几十年一直用来定义中国经济的词被"中高速增长"取代。结构优化和方式转变，这恰恰是困扰中国经济最深层次的问题，也成为了经济领域攻坚克难的目标。

国务院发展研究中心原副主任　刘世锦：

经济发展方式的转变这个问题已经提出很长时间了，但是一直转不过来，这是一个艰难的转变，首先是要解决一个观念问题，过去三十多年我们是高增长，所以高增长这种观念、这种惯性，要调整过来不容易，面临着很多新的挑战、难题，比如说我们现在讲的过剩产能的这样一个调整，必须有针对性地来进行破解。

2013年，习近平曾经算过这样一笔账。他说，一吨钢的利润，现在值四角多钱，去年值一瓶矿泉水，再往前值两斤猪肉，以前还值一部手机！就这个附加值含量，要那么大的产量有多大意思？造成的资源消耗、污染、排放那么大，这个账要算清楚！

不仅钢铁，多个工业企业产品积压，利润下降。与此形成鲜明对比的是，2012年起，中国人出境消费突破1000亿美元，居世界第一。变化了的需求和跟不上需求的供给，背后折射的是经济结构的巨大失衡。

2015年11月，中央财经领导小组第十一次会议上，"供给侧结构性改革"一词，首次出现在了总书记的讲话中。

中央财经领导小组办公室副主任　杨伟民：

总书记讲现在我们面临的主要矛盾，在供给侧，而不在需求侧。所以，必须要丢掉这种靠刺激政策实现V型复苏的幻想，而采取"中药式"的这种办法，通过供给侧的结构性改革，慢慢地让增长速度稳定下来。供给侧结构性改革，是找到了中国经济问题的一个病根，是一个对症下药的一个措施。

一个月后的中央经济工作会议上，供给侧结构性改革的突破口锁定在了"去产能、去库存、去杠杆、降成本、补短板"。

去产能的攻坚战率先在钢铁、煤炭行业打响；央企重组力度也在不断加大，共同推动供给侧结构性改革向纵深挺进。

2017年4月，武汉钢铁集团公司的大红色招牌被拆除。有着59年历史的武汉钢铁与上海宝钢，重组为宝武钢铁。

未来三年内，宝武集团将压减钢铁产能超过1600万吨，涉及安置职工26000人，诸多挑战摆在改革者面前。

宝武钢铁集团董事长　马国强：

一个是内部的转岗。还有一些年龄偏大的职工，根据他们的意愿进行了离岗待退休。当然，过程中还有一部分员工愿意协商解除劳动合同去自主创业，那我们也支持。通过这样的一些手段，我们坚持一厂一策、一人一策来妥善地解决。

通过职工安置、债务化解等一系列配套改革措施，宝武钢铁稳步推进去产能。放眼全国，仅2016年就压减粗钢产能超过6500万吨，化解煤炭产能超过2.9亿吨。随着过剩产能的大规模化解，土地、资金等各类资源逐渐从产能过剩行业释放出来。

困扰中国经济最深层次的问题因供给侧结构性改革正在逐渐得到破解。

习近平总书记（2016年5月30日全国科技创新大会、两院院士大会、中国科协第九次全国代表大会）：

当供则供，不当供则消，这就是供给侧改革要做的事情，总处于低端也不行，处于产业"瓜菜代"是不行的，要往上走，否则这个国家的综合竞争力是不够的，大而不强。靠什么？能看到的、有效的就是新动能，新动能靠什么，靠的是创新。

党的十八大以来，创新被定义为引领发展的第一动力；创新列为五大发展理念之首，被摆在国家发展全局的核心位置；创新驱动发展战略，成为引领中国经济更换动力的顶层设计。围绕创新，一系列改革举措相继出台，在完善顶层设计的同时，更瞄准束缚科技创新的机制体制弊端不断发力。

科技部部长　万钢：

2013年的时候，财政部统计了一下，大概有三十多个部门，一百多条渠道，来分配这一共是一千多亿名额的科研经费。分散、重复、封闭，造成了低效，这是一个实实在在存在的问题。我们在中央深改办的指导下，把过去一百多个渠道合并成了五类，那么三十多个部门，在部际联席会议的平台上，共同去研讨未来发展和我们当前需求所需要的一些重点领域的重点部署。

条块分割被打破，资源不断被整合。党的十八大以来，科技成果转化、股权激励、知识产权等多个关键领域的改革实现突破；通过制定国家实验室发展规划、运行规则和管理办法，牵头组织国际大科学计划和大科学工程等一系列改革举措，加强基础研究，增强原始创新能力，一大批重点领域实现重大突破。

2017年5月5日，凝聚着国人梦想的国产C919大型客机首飞成功，这个历经九年自主研发的新型商用大飞机，既实现了中国人自己制造大飞机的夙愿，也为中国航空工业乃至整个高端装备制造行业开启了崭新的未来。

然而，这一刻的到来却是异常艰难坎坷。大飞机项目的研发，不仅涉及现有体制机制的突破，而且还有"部门利益"的牵绊，尤其一些关键点的突破，更需要整合多方资源共同推进。

这是商飞公司的虚拟仿真实验室，大飞机很多系统集成关键实验数据都在这里验证和完善。要建起这样一个实验室，却面临着意想不到的困难。

中国商飞实验验证专业总师　陆清：

我们要进行虚拟实验，它要完整地模拟这个飞机，就必须实施多学科、多领域的综合集成，我们有资金的问题，有技术的问题，那么这一块的话，单凭我们中国商飞这一家自己做的话肯定是有困难。

像这样的困难，在研制大飞机过程中还有很多。每到关键时刻，大家都能感受到一种推动力。

中国商用飞机有限责任公司董事长　贺东风：

总书记非常关心大飞机事业，曾先后对大飞机的发展和建设做过八次批示，在这种关键的时刻，关键的环节，让我们能够得到全国的支持以及全球力量的融合。

2014年5月23日，习近平来到中国商用飞机有限责任公司，再一次为大飞机鼓劲。

习近平总书记（2014年5月23日中国商飞设计研发中心）：

我们要做一个强国，那么我们一定要把我们自己的装备制造业搞上去。我们看过去，飞机这一项还是短板。所以一定要把飞机搞上去，飞机搞上去，它是整个的装备制造业一个综合实力的水平的体现，牵扯到方方面面，它起到了一个带动作用，也有一个标志性作用。

不仅是大飞机，改革的力量正在重新定义中国制造的内涵。整个产业链条中附加值更高、技术含量更高、污染和排放更少的战略性新兴产业，保持着年均10%以上的增长速度，在工业中实现领跑；在我国的出口总额中，无人机、智能手机等中国制造的高科技产品，已经占到三成。

改革的力量正在为中国经济更换新的动能。共享单车改变着人们的出行方式；网购以每年36.4%的速度在增长；移动支付催生了无现金城市。新产业、新业态、新模式的经济增加值超过 GDP 的 15%。"简政放权、放管结合、优化服务"的改革，释放出新活力，每一天，中国就有 15000 多家新的企业诞生。

改革的力量正在撬动着中国经济结构发生前所未有的变化。服务业跃升为第一大产业，成为经济增长的新引擎；四年提供了 6000 多万个就业岗位。

改革，要解决发展问题，更要解决发展为了谁的问题。

户口，原来分为农业和非农业两类，它在城乡之间划开一条巨大的鸿沟。围绕这个小本子，中国展开了一场涉及复杂利益的改革。

张胜辉，湖南人，二十多年前来到珠三角务工。如今一家十口人也都跟着他来到这里落脚。没有城市户口，让这个上有老、下有小的家庭日子过得有些沉重。

佛山新市民张胜辉之子　张庆：

当时小孩在两岁多的时候就比较担心，压力也蛮大，到处去找人，我甚至也打过一些电话去了解，怎么样才能把这个户口迁进来。根本享受不到这边的一些政策。由于你没有户口的话，你不知道去哪里上户口，所以我们当时非常地苦恼。

老家回不去，城里留下难。他们面对的也是 2.8 亿农民工共同面对的难题。这是一项牵一发而动全身的改革，没有经验可循，利益错综复杂。

公安部副部长　黄明：

户籍制度改革如果说是公安在户籍上做改革，那是很方便的事情。但是由于户口背后负载着太多的利益，关系到众多的领域，就需要配套改革，这是总书记、党中央在亲自抓的，如果仅仅是靠公安部门是推不动的。

为了这2.8亿人的福祉，改革再难也要向前推进。

早在福建工作期间，习近平就表示："绝大多数在城市务工的农民并未真正融入城市，造成这一问题的根本原因是户籍制度的限制。政府应理智而又勇敢地面对这一现实，大胆进行户籍制度改革。"

《新闻联播》（2014年6月6日）：

中共中央总书记、国家主席、中央军委主席、中央全面深化改革领导小组组长习近平，（2014年）6月6号上午主持召开中央全面深化改革领导小组第三次会议，会议审议了《关于进一步推进户籍制度改革的意见》。

2016年9月，全国31个省份均已出台户改方案，全部取消农业户口，统一登记为居民户口。

佛山新市民　张胜辉：

政策这么好，说允许农村人口到城市里面来。两个儿子读书，要他们跳出农村来，在广东有广东户口以后，他们又是学生，他们就可以有这里户口，那就直接可以上这里（学校）。

今天的张胜辉已经融入到了这个城市，到2020年，还有和他一样的约1亿进城常住农业转移人口要落户城镇。

2014年，在给全国党委秘书长会议的批示上，习近平写下这样一段话："崇尚实干、狠抓落实是我反复强调的。如果不沉下心来抓落实，再好的目标，再好的蓝图，也只是镜中花、水中月。"为此，习近平要求所有党员干部要以"钉钉子"的精神抓好改革落实。

2017年5月26日下午，习近平请参会人员，一起观看了反映生态问题的专题片。

对祁连山生态遭破坏的问题，习近平曾多次作过批示。然而，总书记的高度关注，中央环保督察组的严格督察，都难以阻止祁连山生态环境的恶化。

因严重违纪被中纪委立案审查的甘肃省委原书记王三运承认，重形式轻落实，对中央政策阳奉阴违，是造成祁连山生态环境问题愈演愈烈的主要原因。

一个多月后，中办、国办发出通报，引发全党全国震动。因祁连山生态问题，三名副省级官员被点名问责，四名厅局级干部被撤职。

在严厉问责的同时，习近平要求改革推进到哪里，督察就跟进到哪里。督察工作和全面深化改革各项工作紧密协同，始终是以习近平同志为核心的党中央常抓不懈、不断深化细化的关键一环。

从定规划到建机制、从抓重点到促全面、从中央推动到打通"最后一公里"，精准用力，步步为营，全面深化改革不断向纵深推进。

在十八届三中全会闭幕时，海外舆论对中国一揽子提出的336项改革任务曾不乏怀疑之声。

如今,他们的评价是:"没有一个国家能像当今中国这样,以一种说到做到、只争朝夕的方式推进改革。"

2014年,中央深改领导小组确定的80个重点改革任务基本完成,各方面共出台370个改革方案。

2015年,中央深改领导小组确定的101个重点改革任务基本完成,各方面共出台415个改革方案。

2016年,中央深改领导小组确定的97个重点改革任务基本完成,各方面共出台419个改革方案。

2017年上半年,中央深改领导小组已审议60多个重点改革文件。

非凡的历程,伟大的改革。

习近平总书记(2016年11月11日纪念孙中山先生诞辰150周年大会):

伟大的事业之所以伟大,不仅因为这种事业是正义的、宏大的,而且因为这种事业不是一帆风顺的。

党的十八大以来,以习近平同志为核心的党中央坚定不移全面深化改革,广大干部群众积极投身改革,汇聚起推进全面深化改革的磅礴伟力,改革成为中国共产党的鲜明旗帜和当代中国的时代特征。许多长期想解决而没有解决的难题,因改革而得以解决;许多过去想办而没有办成的大事,因改革而得以办成。

五年来,经济体制改革蹄疾而步稳,在全面深化改革进程中发挥牵引作用。中国的经济结构和发展方式正在发生历史性转变，中国经济正朝着更高质量、更有效率、更加公平、更可持续的方向发展。

五年来，政治体制改革始终沿着正确方向推进。坚持党的领导、人民当家做主、依法治国有机统一，坚持和完善人民代表大会制度、多党合作和政治协商制度、群团改革等为中国政治生活带来更多活力。

五年来，文化体制改革紧紧围绕建设社会主义核心价值体系、社会主义文化强国不断深化。通过改革，祛除了制约文化发展的体制弊端，理顺了文化生产的内在机制，文化领域的面貌焕然一新。

五年来，社会体制改革紧紧围绕更好保障和改善民生、促进社会公平正义开创新局面。扶贫、医疗、教育、社会保障、户籍制度等领域攻克一大批改革难题，让人民群众有了更多获得感。

五年来，司法体制改革作为全面依法治国的重要组成部分破冰前行。司法责任制、以审判为中心的诉讼制度、司法便民利民等一系列改革快速推进，有力地回应着百姓对公平与正义的呼唤。

五年来，生态文明体制改革紧紧围绕建设美丽中国迈上新台阶。绿色发展理念日益深入人心，长期困扰我国的资源消耗强度大、环境污染严重、生态系统退化的严峻局面已得到初步扭转。

五年来，党的建设制度和纪律检查体制改革紧紧围绕提高科学执政、民主执政、依法执政水平展开。在改革的推动下,党的思想建设、组织建设、作风建设、反腐倡廉建设和制度建设整体跃升。

2017年9月3日,习近平在厦门出席金砖国家工商论坛并发表主旨演讲,他向与会者谈到了五年来这场波澜壮阔的改革。

习近平总书记(2017年9月3日金砖国家工商论坛):

不可否认的是,随着中国改革进入攻坚期和深水区,一些深层次的矛盾和问题凸显出来,需要下大决心、花大气力加以破解。中国有句老话叫良药苦口,我们采用的是全面深化改革这剂良方。这五年来,我们采取了1500多项改革举措,推动改革呈现全面发力、多点突破、纵深推进的局面。事实证明,全面深化改革的路走对了,而且我们要继续大步地走下去。

改革,只有进行时,没有完成时。

历史已经证明并将继续证明,中国共产党人和中国人民从来不畏难,不怕碰硬,而是有着迎难而上的坚定决心和攻坚克难的必胜信心。以习近平同志为核心的党中央,将团结带领13亿多中国人民继续高举改革旗帜,站在更高起点谋划和推进改革,坚定改革定力,增强改革勇气,总结运用好党的十八大以来形成的改革新经验,再接再厉,久久为功,将这场深刻改变当代中国命运、深刻影响人类发展进程的改革进行到底!

第四集

凝心铸魂

第四集《凝心铸魂》完整视频

2014年3月27日，法国巴黎。

正在欧洲出访的习近平，很重要的一站是在联合国教科文组织总部发表演讲。

习近平主席（2014年3月27日在联合国教科文组织总部的演讲）：

文明如水，润物无声。

这是中国国家领导人在世界舞台上集中以文明发展为主题做公开演讲。

习近平主席（2014年3月27日在联合国教科文组织总部的演讲）：

中华文明经历了五千多年的历史变迁，但始终一脉相承。中国人民在实现中国梦的进程中，将按照时代的新进步，推动中华文明创造性转化和创新性发展。激活其生命力，把跨越时空、超越国度、富有永恒魅力、具有当代价值的文化精神弘扬起来。让收藏在博物馆里的文物、陈列在广阔大地上的遗产、书写在古籍里的文字都活起来。让中华文明同世界各国人民创造的丰富多彩的文明一道，为人类提供正确的精神指引和强大的精神动力。

每个走向复兴的民族，都离不开精神价值的指引；每段砥砺奋进的征程，都必定有精神力量的支撑。

人民有信仰，民族有希望，国家有力量。五年来，汇聚立心铸魂的思想伟力，以马克思主义为指导，以当代中国社会主义实践为基石，以历久弥新的中华优秀传统文化为滋养，强基固本的铸魂工程，凝聚起社会共识的"最大公约数"，彰显出日益强劲的中国精神、中国价值、中国力量！

2014年，是农历甲午年。一元复始，万象更新。春节刚过，中共中央政治局以培育和弘扬社会主义核心价值观为主题进行了集体学习。习近平指出，培育和弘扬社会主义核心价值观，有效整合社会意识，是社会系统得以正常运转、社会秩序得以有效维护，也是推进国家治理体系和治理能力现代化的重要方面。他强调，要使核心价值观的影响像空气一样无所不在、无时不有，要与人们日常生活紧密联系起来，使人们在实践中感知它、领悟它，达到"百姓日用而不觉"的程度。

2016年12月12日，习近平在北京会见了第一届全国文明家庭代表。

习近平总书记（2016年12月12日在会见第一届全国文明家庭代表时的讲话）：

你们以自己的模范行为，同家庭成员一起，弘扬和践行社会主义核心价值观，温暖了人心，诠释了文明，传播了正能量，为全社会树立了榜样，都是好样的！

家庭是人生的第一课堂，父母是孩子的第一任老师。有什么样的家教，就有什么样的人。广大家庭都要重身教、重言传、身体力行、耳濡目染，帮助孩子们扣好人生的第一颗扣子。

习近平强调要重视家庭文明建设，努力使4亿多中国家庭成为国家发展、民族进步、社会和谐的基点；成为实现"两个一百年"奋斗目标、实现中华民族伟大复兴中国梦的磅礴力量。

从习近平的论述中，可以清晰地认识到社会主义核心价值观，承载着一个民族、一个国家的精神追求，是中华民族赖以维系的精神纽带，是我们这个国家共同的思想道德基础。

富强、民主、文明、和谐是国家层面的价值目标；自由、平等、公正、法治是社会层面的价值取向；爱国、敬业、诚信、友善是公民个人层面的价值准则。

中华民族在新时代的精神旗帜昂然树起。

2013年8月19日，习近平在全国宣传思想工作会议上强调指出，宣传思想工作就是要巩固马克思主义在意识形态领域的指导地位，巩固全党全国人民团结奋斗的共同思想基础。

从井冈山到古田，从延安到西柏坡，五年来，习近平的足迹几乎遍布革命老区。他倡导领导干部，不管处在哪个层级和岗位，都应该读点历史，知史爱党，知史爱国。中国共产党的历史是一部生动的教科书，它所代表的革命文化是一种革命理想，它的本质代表着人民的利益。它蕴含着的丰富的养分，它所内涵的精神、理想、作风，仍然是今天中国共产党人坚强的政治定力。

中国各地红色旅游景区人群熙攘。2016年全国红色旅游接待游客数量已经超过13.5亿人次，预计到2020年，这个数字将突破15亿人次。

在延安，2016年一年的游客数量已经超过4000万人次，比前一年增加了570多万人次。

红色旅游景区所蕴含的革命文化，在这几年愈发吸引着人们的目光。

革命文化是中华文化的重要组成部分，它所代表的精神气质，是每一个共产党人必需的文化烙印。在纪念长征胜利八十周年大会上，习近平这样说：

习近平总书记（2016年10月21日在纪念红军长征胜利80周年大会上的讲话）：

人无精神则不立，国无精神则不强。伟大长征精神，作为中国共产党人红色基因和精神族谱的重要组成部分，已经深深融入中华民族的血脉和灵魂，成为鼓舞和激励中国人民不断攻坚克难、从胜利走向胜利的强大精神动力！

伟大长征精神，是中国共产党人及其领导的人民军队革命风范的生动反映，是中华民族自强不息的民族品格的集中展示，是以爱国主义为核心的民族精神的最高体现。

党的十八大以来，习近平不断强调继承和发扬革命优良传统，高度重视革命纪念日的现实意义，尽显"为益之大，收功之远"。

2014年9月3日，首个中国人民抗日战争胜利纪念日。

2014年9月30日，首个中国烈士纪念日。

2014年12月13日，首个南京大屠杀死难者国家公祭日。

在2014年一年之内，中国增设的这三个纪念日都承载着中华民族现代史中的苦难卓绝、牺牲奋斗。

在设立当年都有高规格的隆重纪念活动，习近平都亲自参加。

2015年9月3日，中国第二个抗日战争胜利纪念日，也是世界反法西斯战争胜利70周年纪念日。中国国家主席习近平和数十位受邀的国家元首齐聚北京天安门。

礼仪是宣示价值观、凝心聚力的有效方式，一些重大礼仪活动上升到国家层面，以传播主流价值，增强人们的认同感和归属感。慎终追远，民德归厚。

阅兵仪式开始，300多抗战老兵组成的方队最先接受检阅。

一个有希望的民族不能没有英雄，一个有前途的国家不能没有先锋。

他们是中华民族的脊梁，他们的事迹和精神都是激励着我们前行的强大力量。

五年来，以习近平同志为核心的党中央高扬爱国主义旗帜，把弘扬伟大的爱国主义精神，作为社会主义核心价值观建设极为重要的任务，贯穿到国民教育和精神文明建设全过程当中。

利用各种时机和场合，生动传播爱国主义精神，引导人们

"树立和坚持正确的历史观、民族观、国家观、文化观,增强做中国人的骨气和底气"。

2014年五四青年节,习近平专程来到北京大学考察。

习近平总书记(2014年5月4日在北京大学的讲话):

每个时代都有每个时代的精神,每个时代都有每个时代的价值观念。在当代中国,我们的民族、我们的国家应该坚守什么样的核心价值观,这个问题是一个理论问题,也是一个实践问题。

现在有些人说三道四,说中国人怎么好像脱离不了历史的纠结,好像处于一种历史悲情主义,无法自拔。因为,鸦片战争,它最后打垮的是中华的民族精神,挫折的是中华的民族精神,感觉到自己什么也不行了。所以我们现在讲的三个自信,道路自信、制度自信、理论自信,根本的是文化自信。我们现在要实现中华民族伟大复兴,我们这种志向,它是中华文化复兴、自信的这样一种志向。

习近平说,一个民族、一个国家,必须知道自己是谁,是从哪里来的,要到哪里去。想明白了、想对了,就要坚定不移朝着目标前进。

2014年12月20日,正在澳门大学横琴新校区考察的习近平来到学生们中间。一位来自澳门的学生谈起了中国传统文化对澳门的影响:

澳门大学学生:

每当一有老人上车,总是会有年轻人主动把位置让出来。

习近平总书记（2014年12月20日在澳门大学横琴新校区考察时的讲话）：

这个实际上是中华文化对于中国人的影响，渗透到我们的骨髓里了，我就说这是文化的DNA，基因。

我本人也是一个中华文化的非常热烈的拥护者。对于你们来讲，我觉得，一个，一定要通过学习之后，树立对我们五千年文明这种自豪感，文化自信，民族自豪感。

文化，是一个民族的精神家园，是一个民族区别于其他民族独特的精神标识。中华文化积淀着中华民族最深沉的精神追求，支撑着中华民族生生不息，薪火相传。

中华优秀传统文化植根在中国人内心，千百年来潜移默化影响着中国人的思想方式和行为方式。今天，提倡和弘扬社会主义核心价值观，必须从中华优秀传统文化中汲取丰富营养，否则就不会有生命力和影响力。

2013年11月26日上午，在山东考察调研的习近平来到曲阜，在孔子研究院，习近平主持了一场座谈会。

习近平列举了儒家思想中十多种人们耳熟能详的重要理念：学而时习之不亦说乎；吾日三省吾身；礼之用和为贵；居其所而众星拱之；温故而知新可以为师矣；见贤思齐焉，见不贤而内自省也，等等。在他看来，这些理念是中华文化漫漫长河中的宝贵财富。

2014年5月30日，习近平来到北京市海淀区民族小学。

习近平总书记（2014年5月30日在海淀区民族小学的讲话）：

我要讲，这个中国字是中国文化传承的一个标志。为什呢，五千年的文明，我们现在在殷墟发现甲骨文，三千多年，三千多年前的甲骨文和现在的字，基本结构没有什么变化，所以这个传承它真正是一种中华基因。

在学校主持召开座谈会时，习近平说，我们倡导的社会主义核心价值观，体现了古圣先贤的思想，体现了仁人志士的夙愿，体现了革命先烈的理想，也寄托着各族人民对美好生活的向往。

2014年9月24日，纪念孔子诞辰2565周年国际学术研讨会在北京召开。从1994年开始，研讨会每五年举办一次，这一年规格最高。

习近平总书记（2014年9月24日在纪念孔子诞辰2565周年国际学术研讨会上的讲话）：

当代人类面临着许多突出的难题，比如，贫富差距持续扩大；物欲追求奢华无度；个人主义恶性膨胀；社会诚信不断消减；人与自然关系日趋紧张，等等。要解决这些难题，不仅需要运用人类今天发现和发展的智慧和力量，而且需要运用人类历史上积累和储存的智慧和力量。世界上一些有识之士认为，包括儒家思想在内的中国优秀传统文化中，蕴藏着解决当代人类面临的难题的重要启示。

清华大学国学院院长　陈来：

在这样一个世界性的论坛，讲中华文化很多重要的思想理念，有助于解决今天整个全世界碰到的难题。我们现在看到世界上这些大的问题，都是出现在某些强者，他总是要以力服人，要把自己的主观的观念强加给别人。强加不了，就要使用武力。为什么不能够像中国古人那样，想象一个永久和平的世界，一个和而不同的世界。

习近平在讲话中特别强调，要实现传统文化的创造性转化、创新性发展，使其与现实文化相融相通，这是中华优秀传统文化以文化人的时代任务。

2014年10月13日下午，中共中央政治局举行第十八次集体学习，内容是关于我国历史上的国家治理。习近平在主持学习时强调，对绵延五千多年的中华文明，我们应该多一份尊重，多一份思考。习近平说，实现中华民族伟大复兴的中国梦必须有中国精神，要把长期以来中华民族形成的积极向善的思想文化充分继承和弘扬起来，使之为培育和践行社会主义核心价值观服务。

西湖之上，月光之下，二十国集团领导人杭州峰会文艺晚会《最忆是杭州》震撼盛放。全球最具影响力的政治家们切身体会着水色波光之上的中国文化梦境。

上善若水、天人合一、贵和尚中的哲学精神在水中娓娓道来，向世界展示了中华文化精髓之中世代传承的价值和生生不息的活力，表达着人类共通的情感世界。

呦呦鹿鸣，食野之苹，我有嘉宾……

西湖水面上美轮美奂的文化感染力的背后，是一个国家的制度对生活、对情感、对美好、对未来的理解和表达。

2017年1月，中共中央办公厅、国务院办公厅印发了《关于实施中华优秀传统文化传承发展工程的意见》。文件要求，各地区各部门结合实际认真贯彻落实，将以中华文化核心思想理念、中华传统美德和中华人文精神为主要内容的优秀传统文化全方位融入国民教育各个领域、各个环节，与人民生产生活深度融合，使之成为长久生命力，真正实现活起来、传下去。

正因为有五千年优秀传统文化的丰厚滋养，在发展社会主义市场经济的今天，中国文化展现出强劲的发展势头，公益性文化事业深入推进。群众文化丰富多彩，文化产业快速发展，人民基本文化权益得到充分保护。

国家统计局2017年的数据表明，2016年我国文化产业实现增加值首次突破3万亿，达到30254亿元，比2012年增长67.4%，年均增速13.7%，文化产业呈现出快速增长的态势。文化产业结构进一步优化和升级。文化新业态发展势头强劲。

2017年，以爱国主义为主题的电影《战狼2》继《湄公河行动》之后再次燃爆了整个夏天，观众们体验了一场视觉盛宴的同时也点燃了爱国主义激情，感受到了祖国的强大。而《战狼2》的票房也一再刷新国产片的票房纪录，截至2017年9月，票房超过56亿。

为国家立心，为民族铸魂。五年来，以习近平同志为核心的党中央大力推进、持续深化社会主义核心价值观培育和弘扬，在人的心灵里搞建设，筑牢一个国家共同的思想道德基础，久久为功，驰而不息。

时代楷模发布、全国道德模范评选、"身边好人"、"寻找最美"感动中国人物表彰……五年来，捐资助学、扶贫济困的将军夫人龚全珍；志拔穷根、绝壁凿渠的当代愚公黄大发；心系使命、爱军精武的兵王王忠心；用爱心构筑美满家庭的英雄妻子李玉芝等无数道德灯塔在全国挺立，照亮了整个社会的价值星空。

2017年1月8日，一位中年学者怅然离世。他就是"千人计划"学者、著名战略科学家黄大年。

时间倒回到2009年，在国外奋斗了18年，已经是航空物理研究领域享誉世界的中国科学家黄大年，做了一个在很多人看来有点难以理解的决定，他放弃了国外顶尖的合作团队，放弃了优厚的物质条件，自费购买了昂贵的科研仪器，作为国家"千人计划"特聘专家回到中国。

"向深海进军，向深空进军，向深地进军"，这是我国科技发展的重要战略方向。当时世界先进水平开采深度已经达到2500米至4000米，而中国依然小于500米。黄大年深知自己所从事的海洋和航空快速移动平台探测技术对中国意味着什么。

从回国第一天开始，他就像一枚高速运动的转子。办公室墙上的挂历写满了一整年的工作计划。

对于一个真正的科学家来说，科学的竞跑是随时随地的，他们总会有极其强烈的紧迫感。他们怕，怕分分秒秒就会被落下。

黄大年追赶国外同领域研究的急切，几乎到了拼命的状态。别人的一天，他要当作三天来用。最多的时候，一年中160多天都在出差，而不加班的日子几乎为零。

归国7年，他带领着四百多名团队成员突破了一个个技术难题。创造了多个"中国第一"，为中国的"巡天、探地、潜海"填补了众多技术空白，用5年时间完成了发达国家20多年走过的路程，很多技术指标已经达到世界先进水平。一些国外专业杂志这样评价，中国已经进入"深地时代"。

吉林大学教授　黄大年（生前接受采访片段）：

我们国家从一个大国向一个强国迈进过程中，需要很多很多像我这样的人回来参与这个建设。

他原本将带着团队继续突破，却最终倒在了岗位上，从查出胆管癌到去世，只有30天，享年58岁。

他的同事和学生回忆过这样一个细节，在中国留学人员联谊会举行的一场音乐会上，这首《我爱你中国》让黄大年夫妇泪流满面。

"心有大我、至诚报国的爱国情怀，教书育人、敢为人先的敬业精神，淡泊名利、甘于奉献的高尚情操"。习近平总书记对黄大年同志先进事迹的重要指示，深刻阐明了黄大年精神的丰富内涵。黄大年同志用58载的短暂人生，书写了什么是奉献，回答了什么叫担当。用品格力量标注生命高度，抒写无悔人生。

伟大时代呼唤伟大精神，崇高事业需要榜样引领。道德模范形成了强大的示范效应。文明城市、文明村镇、文明单位、文明家庭、文明校园等群众性创建活动同频共振；光盘行动、孝老爱亲、文明旅游、移风易俗、公益广告等精神文明建设宣传工作效果显著，学雷锋志愿服务在大江南北蔚然成风，诚信制度建设有序推进。群星灿烂、七星共鸣。从一个身边好人的凡人善举，到一群道德模范的身先士卒；从一座城市的好人频出，到一个社会的崇德尚善。五年来，细水长流的日常熏陶，使人们从心底迸发出对善的敬重、对美的向往，成为这个时代的精神力量和道德滋养。

2014年10月15日，由习近平提议的文艺工作座谈会在北京召开，上午10点，七十二位受邀艺术家到场。七十二这个数字，让人很容易联想到七十二年前的延安文艺座谈会。

习近平总书记（2014年10月15日在文艺工作座谈会上的讲话）：

群英毕至，少长咸集。

面对着今天中国主流文艺作品的创作者，习近平谈起了青年时期涉猎的文艺作品对自己的影响。

习近平总书记（2014年10月15日在文艺工作座谈会上的讲话）：

普希金的影响，爱情诗，叶甫盖尼·奥涅金，我很喜欢莱蒙托夫的《当代英雄》，说英雄谁是英雄啊，每一个时代英雄有不同的表现形式，它的寓意就在这里。

习近平说，像这样的经典文艺作品对人的影响是外化于行，内化于心的。在座谈会上他强调，文艺是一个时代的号角，最能体现一个时代的风貌，文艺作品直接影响着人们的价值取向。文艺不能在市场经济大潮中迷失方向，不能在为什么人的问题上，发生偏差，否则文艺就没有生命力。

坚持以人民为中心的创作导向，习近平用了一个很感性的说法——"欢乐着人民的欢乐，忧患着人民的忧患"。他并没有用口号式的语言，而是用故事给大家讲述着自己的体会。

习近平总书记（2014年10月15日在文艺工作座谈会上的讲话）：

比如，柳青，他定居在一个皇甫村，蹲点十四年。实际上他的《创业史》很多素材就是这儿来的。柳青他可以做到中央的一个文件下来了，或者陕西省委、省政府的一个文件下来了，他会知道他的房东老大娘是哭还是笑，所以他对关中生活的这种深入的了解，你看他笔下的人物多么栩栩如生。

中国作家协会副主席　叶辛：

对中国的作家来说，你必须从自己的实际生活体验出发，把能够温润过你的心灵，能够打动过你心灵的东西、人物、故事写成有中国特色的这样一种故事。你在这个过程当中，怎么捕捉能够体现我们时代精神的，体现我们社会正能量，体现我们人民心声的作品，也是对当代作家提出的一个考验了。

一个国家、一个民族的强盛，总是以文化兴盛为支撑的，实现中华民族伟大复兴需要以中华文化的发展繁荣为条件。党的十八大以来的五年里，无论是实施中华优秀传统文化传承和发展工程，进一步推进文化体制改革，还是提升中华文化的国际影响力和传播力，在习近平文化铸魂的脉络中，实现文化强国的路径越来越清晰。

习近平高度重视新闻舆论对聚合社会精神力量的重要作用。在党的新闻舆论工作座谈会上，他强调，新闻舆论工作要与党和人民同呼吸共进步，唱响主旋律传播正能量，有力激发全党全国各族人民为实现中华民族伟大复兴中国梦而团结奋斗的强大力量。

党的十八大以来，融汇了爱国主义精神和改革创新精神的社会主义先进文化，在社会主义核心价值观的引领下有了鲜明的时代内涵。

五年来，中国特色社会主义进入新的发展阶段，建设社会主义文化强国迈出坚实步伐。国家和民族的文化自信显著提升，与此相应的是，与世界大国地位相称的国家软实力也同步提高。

中国所体现出的软实力，正在以一种独特的方式吸引着世界的注意。

习近平总书记：

构建开放型的世界经济。

坚定不移引领经济全球化进程。

坚持协同联动，打造开放共赢的合作模式。

共同推进构建人类命运共同体的伟大进程。

五年来，由习近平提出的一系列中国倡议、中国方案在全球深入人心。

习近平总书记（2013年9月7日在哈萨克斯坦纳扎尔巴耶夫大学发表演讲）：

我的家乡，中国陕西省，就位于古丝绸之路的起点。

2013年9月7日上午，习近平在纳扎尔巴耶夫大学演讲时，提出共同建设"丝绸之路经济带"。

习近平总书记（2013年9月7日在哈萨克斯坦纳扎尔巴耶夫大学发表演讲）：

看到了大漠飘飞的袅袅孤烟，这一切让我感到十分的亲切。

支撑"一带一路"倡议的文化核心是"各美其美，美人之美，美美与共，天下大同"的中国哲学精神。在这片土地上，中国用自己独特的思维，唤醒了丝绸古道上沉睡千年的文化之魅，又赋予其现代化之魂，成为21世纪拉动世界经济增长的新动力。

美国约翰·霍普金斯大学教授　大卫·兰普顿：

我一直在思考权力可以采取什么样的形式？权力可以是强迫的形式，我强迫你或我威胁你去做我想做的事情。但还有另一种方式让人们愿意追随你，那是因为他们相信你有正确的思想和正确的价值观，或者你拥有很成功的经验，所以人们希望能够在未来借鉴你的经验。这其实就是思想的力量。

我们党是高度重视理论建设和理论指导的党，在建设中国特色社会主义的伟大实践中，始终保持与时俱进的理论品格。邓小平理论、"三个代表"重要思想、科学发展观，不断丰富和发展中国特色社会主义理论。五年来，以习近平同志为核心的党中央，在进行伟大斗争、建设伟大工程、推进伟大事业、实现伟大梦想中，理论上不断拓展新视野、作出新概括，形成治国理政新理念新思想新战略。

2016年5月17日，习近平在哲学社会科学工作座谈会上曾作出这样的表达——

习近平总书记（2016年5月17日在哲学社会科学工作座谈会上的讲话）：

这是一个需要理论而且一定能够产生理论的时代，这是一个需要思想而且一定能够产生思想的时代。我们不能辜负了这个时代。自古以来，我国知识分子就有为天地立心，为生民立命，为往圣继绝学，为万世开太平的志向和传统。

中央党史研究室主任　曲青山：

习近平总书记系列重要讲话精神和党中央治国理政新理念新思想新战略集成了中华优秀传统文化、革命文化和社会主义先进文化的精髓，习近平总书记是中华优秀传统文化的推介者、革命文化的倡导者、社会主义先进文化的弘扬者。

从2014年出版以来，《习近平谈治国理政》已经以23个语种出版发行，在全球发行量已经超过650万册，持续畅销。

外文出版社社长　徐步：

今年上半年就9个语种，而且现在海外需求还在增加。

法国前总理　拉法兰：

在这本书中我看到了习主席的两个品质，一方面是为了未来而尊重过去。第二点是他谈到的一些永恒的话题：和平与青年，和平与创新。中国一如既往地寻求发明创造，寻找新的道路，提出新的战略。

2016年7月1日，习近平在庆祝中国共产党成立95周年大会上发表讲话。

在这篇以"不忘初心，继续前进"贯穿始终的讲话中，习近平将文化自信与道路自信、理论自信、制度自信并列提出。

习近平总书记（2016年7月1日在庆祝中国共产党成立95周年大会上的讲话）：

当今世界，要说哪个政党、哪个国家、哪个民族能够自信的话，那中国共产党、中华人民共和国、中华民族是最有理由自信的。有了"自信人生二百年，会当水击三千里"的勇气，我们就能够毫无畏惧面对一切困难和挑战，就能坚定不移开辟新天地、创造新奇迹！

国民之魂，文以化之；民族精神，文以铸之。党的十八大以来，以习近平同志为核心的党中央，团结带领全国人民，将中华民族的精神大厦构筑得更加巍峨。今天，站在新的历史起点上，13亿多中国人民，将继续高扬中国精神，向着实现中华民族伟大复兴的宏伟目标，向着美好生活的幸福彼岸，豪迈前行！

第五集 强军路上

第五集《强军路上》完整视频

清晨，大漠深处，一个个作战群正在集结。万名官兵，征尘未洗，从多个训练场转战而来，接受军队统帅的检阅。

突击群：敬礼！

突击群：护旗方队，敬礼！

习近平：同志们好！

突击群：主席好！

习近平：同志们辛苦了！

突击群：为人民服务！

这支人民军队，用一场沙场阅兵，向他走过的不平凡历程致敬。

突击群：听党指挥，能打胜仗，作风优良！

这既是对九十年建军大业的回望，也是对过去五年强军之路的检阅。

习近平主席（2017年7月30日朱日和陆军联合训练基地）：

我坚信，我们的英雄军队，有信心、有能力打败一切来犯之敌。我们的英雄军队，有信心、有能力维护国家主权、安全、发展利益。我们的英雄军队，有信心、有能力谱写强军事业新篇章。

当习近平成为军队统帅的时候，人民军队的建设发展正处在一个重要的历史关口，面临着如何革新除弊、适应未来战争的严峻考验。

"我想的最多的就是，在党和人民需要的时候，我们这支军队能不能始终坚持住党的绝对领导，能不能拉得上去、打胜仗，各级指挥员能不能带兵打仗、指挥打仗？"如何加强建设同我国国际地位相称、同国家安全和发展利益相适应的巩固国防和强大军队，成为习近平深沉思考的重大课题。

习近平担任党的总书记和中央军委主席后的第一次离京之行，选择在了南海之滨。

习近平主席（2012年12月10日原广州军区机关）：

我们的中国梦，这个伟大的梦想，就是强国梦。对军队来讲，也是强军梦。

一个民族的强国梦与强军梦，就这样紧密地联系在了一起。从提出中国梦到提出强军梦，仅仅10天。

也就是在这次南海之行中，习近平明确指出：要始终牢记，坚决听党指挥是强军之魂。能打仗、打胜仗是强军之要。依法治军、从严治军是强军之基。

强军的蓝图开始勾画，宏大的目标喷薄欲出。

习近平主席（2013年3月11日十二届全国人大一次会议解放军代表团全体会议）：

建设一支听党指挥、能打胜仗、作风优良的人民军队，是党在新形势下的强军目标。

习近平号令全军，要准确把握这一强军目标，用以统领军队建设、改革和军事斗争准备，努力把国防和军队建设提高到一个新水平。

善举纲者万事遂，善谋势者机可期。

强军兴军的春天就这样悄然来临。

习近平主席（2017年8月1日庆祝中国人民解放军建军90周年大会）：

无论时代如何发展，形势如何变化，我们这支军队永远是党的军队、人民的军队。

一部人民军队的历史，就是一部凝聚在党的旗帜下的奋斗史。跟党走，铸就了拖不垮、打不烂的钢铁雄师、胜利之师。

"党对军队的绝对领导，是我军的军魂和命根子，永远不能变，永远不能丢。"担任中央军委主席的第一天，习近平就对新一届军委班子强调，在坚持党对军队绝对领导的根本原则问题上，必须头脑特别清醒、态度特别鲜明、行动特别坚决。

20天后，他对如何从思想上政治上建设和掌握部队又作出深刻阐述：坚持党对军队绝对领导的根本原则和制度，确保部队绝对忠诚、绝对纯洁、绝对可靠。

国防大学教授　徐焰：

在革命战争中间，我们军队讲硬件，同强敌相比差得太多，武器装备都不行。能克敌制胜靠什么？靠软件，靠我们在精神上也就是在军魂上压倒敌人。在今天的新形势下，我们兴军强军同样靠军魂，还是靠发挥我们的传统政治优势，靠的是政治建军，一切听党指挥。这也是我们在新时期继承军魂，不忘初心继续前进的根本保障。

党对军队绝对领导的根本原则和制度，发端于南昌起义，奠基于三湾改编，定型于古田会议。2014年金秋时节，习近平率领400多名高级将领来到闽西古田。

习近平主席（2014年10月28日福建龙岩市古田会议旧址）：

在古田会议召开八十五周年之际，我们来到这里，目的是寻根溯源，深入思考我们当初是从哪里出发的，为什么出发的。

就在三天前，解放军军事检察院对中央军委原副主席徐才厚涉嫌受贿犯罪案件侦查终结，移送审查起诉。

管灵魂的出卖灵魂，管打仗的不谋打仗。郭伯雄、徐才厚盘踞军队高层多年，严重毒化了军队政治生态，严重冲击党对军队绝对领导的根本原则和制度。

八十五年前，就是在这座闽西小镇，毛泽东和他的战友们确立了"思想建党、政治建军"的原则，彻底与背离党的性质和宗旨的种种旧军队习气决裂。从此，人民军队浴火重生。八十五年后，习近平亲自主持召开全军政治工作会议，深情寻根，革弊鼎新，与种种侵蚀军队肌体的沉疴痼疾一刀两断，人民军队重整行装再出发。

时任古田会议纪念馆馆长　曾汉辉：

我们习主席在参观纪念馆的时候，特别是站在关于纠正党内错误思想，八种错误思想这个版面的时候，他沉思了一会儿，他说，当年毛泽东在闽西是以问题为导向，通过寻找问题的症结解决问题。

问题是时代的回声。郭伯雄和徐才厚两个位高权重的军人最终成了军队政治生态的"污染源"，最严重的问题就是动摇了理想信念，背离了共产党人和人民军队的初心。

习近平主席（2014年10月28日福建龙岩市古田会议旧址）：

长期和平环境对军人是个严峻考验，如果贪图享乐就会染上和平病，精神懈怠，意志衰退，滋生这样那样的问题。"奢靡之始，危亡之渐"这个古训我们要铭记在心。

在这次会议上，习近平严肃指出了部队中特别是领导干部中存在的十个方面突出问题。他强调，这些问题已经到了非解决不可的时候，否则军队就有变质变色的危险。

一支人民军队，政治上一旦蜕变，就会不打自垮。强军兴军，需要拨乱反正，把颠倒了的是非纠正过来，把毒化了的生态恢复过来。

就是在这次具有里程碑意义的会议上，习近平提出了军队政治工作的时代主题，确立了新形势下政治建军的大方略。

这是强军兴军的灵魂工程。

红米饭、南瓜汤、观音菜、炒烟笋……摆上了军委主席和与会代表的餐桌。

把理想信念牢固立起来,把党性原则牢固立起来,把战斗力标准牢固立起来,把政治工作的威信牢固立起来。从古田再出发,人民军队从哪里来、往哪里去,更加清晰明确。

着眼强军兴军的时代课题,习近平要求全军,对照优良传统,看差距和问题在哪里,下一步要往哪里走,要干成什么样子。

他提出培育"四有"新一代革命军人、建设"四铁"过硬部队;他亲自部署推动理论武装工作和重大教育活动,倡导新的政治整训,推进"红色基因代代传"工程,让人民军队永葆初心。

中央军委深化国防和军队改革领导小组专家咨询组成员郑勤:

党的十八届六中全会确立了习主席为党中央的核心、全党的核心,这是关乎党运、国脉、军魂的历史选择。那么对于军队来讲,就要坚决维护权威、维护核心、维护和贯彻军委主席负责制,始终做到在思想上坚定追随、在政治上绝对忠诚、在情感上真诚拥戴、在行动上听从指挥。那么在这个问题上,绝不能有任何动摇、任何迟疑和任何含糊。

今天的中国,前所未有地走近世界舞台的中心,也前所未有地面临严峻的安全压力和风险挑战。

机上通讯录音:

970,发现目标,90度方位,距离十公里,注意保持。

明白!

注意,我是中国海军航空兵,你即将进入中国领空。

立即离开!立即离开!

任务完成,请求返航。

可以返航!

海上挑战不断,周边暗流涌动。

今天的中国,比历史上任何时期都更接近中华民族伟大复兴的目标,也比历史上任何时期都更需要一支强大的军队。

2012年12月10日,习近平来到炮声隆隆的演兵场上视察部队。

这是一支战功卓著的陆军部队。抗美援朝之初,血战黄草岭,部队顶住了敌人的狂轰滥炸,整整13个昼夜,没有让号称王牌之师的美军陆战第一师前进一步。

然而,昨天的胜战之师并不意味着能够打赢今天的战争。2014年,来自当时七大军区的7个旅,挺进内蒙古草原深处,与我军第一支专业蓝军旅进行实兵对抗。

跨越-2014·朱日和演习现场:

七号战队,准备冲击。

立即实施干扰!

明白!

111,通知后续梯队,迅速离开道路,组织伪装。

马上反机降,炮火反机降。

情况紧张,请求增援,完毕!

草原深处的红蓝之战，从盛夏一直打到了深秋。交战的结果却让人大吃一惊：六比一，蓝军大胜，红军惨败！

第二年，依托6处大型综合训练基地，包括炮兵和防空兵在内的陆军29个旅团与6支蓝军部队实战化对抗，均为红败蓝胜。

蓝军旅旅长　满广志：

（红军）由和平积习，带来的一些短板一些弱项，一些弱点，包括（红军）致命的地方：实战化意识不强、实战化氛围不浓，在演习场上充分地暴露出来。

这样的结果，像一道道冲击波，震动了全军上下。

习近平尖锐地指出，要说有短板弱项，能打仗、打胜仗方面存在的问题就是最大的短板、最大的弱项。

一场战斗力标准大讨论席卷全军，直戳中国军队战斗力建设存在的顽症痼疾。

几个月之后，中央军委颁发《关于提高军事实战化训练水平的意见》，全军成立军事训练监察领导小组，建立纠治训风、演风、考风的长效机制。

必胜之师首先要有战斗力！习近平号令全军：始终坚持战斗力这个唯一的根本的标准，全部心思向打仗聚焦、各项工作向打仗用劲。

"能战方能止战，准备打才可能不必打，越不能打越可能挨打，这就是战争与和平的辩证法。"

习近平朴实而有力的话语，回荡在演兵场、训练场，回荡在大江南北的一座座军营。

2013年8月28日,习近平登上辽宁舰,这是他在不到一年的时间里第三次视察海军部队。

时任海军辽宁舰舰长　张铮:

主席同志,海军辽宁舰仪仗队,列队完毕,请您检阅!舰长张铮!

习近平主席:

取得了不小的进步,希望再接再厉,做开创性的工作。

从南海到渤海,习近平登航母、下潜艇、上战舰。

习近平:这个固定是怎么固定的?

井冈山舰舰长:这个固定是用链条,航渡链条,专门有固定装置。

习近平:抗风浪都可以,没问题?

井冈山舰舰长:没问题。

在陆军部队,在空军部队,在火箭军部队,他上战车,攀战机,看导弹,每一次他都详细询问装备性能,他最牵挂的就是战斗力建设,他最关心的就是能不能打赢未来信息化条件下的高技术战争。

从海湾战争到伊拉克战争,从车臣战争到叙利亚战争,强国军队一次次把崭新的战争形态和作战样式呈现在世界面前,新军事革命浪潮风起云涌。习近平深知,军事上的落后一旦形成,对国家安全的影响将是致命的。

国防大学副校长　肖天亮:

在当今世界前所未有的大变局中,军事领域的发展变化尤为深刻。这种深刻变化是以重塑军事体系为目标,以信息化为核心,以军事战略、作战思想、军事技术、组织体制和军事管理创新为基本内容,推动着世界新军事变革不断地向纵深发展。

就在这间会议室里,中央政治局有关军队建设的集体学习讨论,习近平就曾主持过多次。

习近平主席(2014年8月29日中共中央政治局第十七次集体学习):

新军事革命深入发展,其速度之快、范围之广、程度之深、影响之大,为第二次世界大战结束以来所罕见。

习近平深刻指出:这次世界新军事革命是全方位的、深层次的,覆盖了战争和军事建设全部领域,直接影响到国家的军事实力和综合国力,关乎战略主动权。

"天下之患,最不可为者,名为治平无事,而其实有不测之忧。"习近平经常引用的这段话,是北宋苏轼名作《晁错论》的开篇语。历史的镜鉴和现实的挑战,清晰地摆在中央领导集体面前:新军事革命带来千载难逢的机遇,抓住了就能乘势而上、赶上潮流,走在时代前列,抓不住就可能错过整整一个时代。

一场被海内外舆论广泛关注的中国军队整体性、革命性改革重塑,风起云涌而又蹄疾步稳。短短几年里建立军委管总、战区主战、军种主建的新格局,实现了人民军队组织形态的整体性重塑,迈出了构建中国特色军事力量体系的历史性步伐,人民军队体制一新、结构一新、格局一新、面貌一新。

中央军委深化国防和军队改革领导小组专家咨询组副组长　蔡红硕：

回顾这5年来,军队建设发生的重大变化,一个很重要的原因就是始终以强军目标为统领,坚决把强军目标要求贯彻落实到部队建设的各领域和全过程。

盛夏时节,一场信息化条件下联合实兵实弹演习,在某海域打响。全系统、全要素参与,战略战役力量全覆盖,陆海空天电全维展开……

从海空到陆地,从南方到北国,伴随着全新的联合作战指挥体制的建立,诸军兵种实战化训练的战车陡然加速。

大阅兵结束不到一个月,草原深处再起战火。"跨越－2017·朱日和"军演,重点检验新改编组建的陆军合成旅。远程机动而来的第80集团军某合成旅,率先与蓝军先头交火。还在行进途中,参演红军就遭遇重大"敌情":黄河大桥被"敌"摧毁！空中,武装直升机盘旋布阵；两岸,防空兵群严阵以待……冲破黄河天堑,冲破道道封锁。第三天上午,千里跃进的红军刚刚到达集结地域,蓝军已经虎视眈眈、严阵以待。

小型化、模块化、多能化。改革,正在从根本上改变陆军部队长期以来重兵集团、以量取胜的制胜模式。

陆军参谋部副参谋长　张明才：

这次军改,陆军从数量上大大压缩,我们转型重塑是为了灵活高效。现在我们正在按照机动作战、立体攻防的战略要求,加快建设一支能够全程使用、全域使用的强大的现代化新型陆军。

南海上空，轰-6K战斗巡航已呈常态化。海上气象，与复杂的南海局势一样复杂多变。

南部战区空军航空兵某团飞行员　柴进：

颠簸非常明显，在云周围的降水整个打在玻璃的前风挡上面，影响对外的观察，你几乎前方什么都看不见了。当时的情景非常惊心动魄。

面对变幻莫测的恶劣天气，是请求返航还是继续向前？

南部战区空军轰炸航空兵某团团长　刘锐：

我们机组决定还是穿云到任务区域去，去完成我们预设的任务。因为我们知道，那一片海是我们的领海，那一片岛屿是我们的领土，是我们必须去守卫的地方。

依靠着目视和机载雷达数据，刘锐和战友们驾驶战机在浓积云和强对流区域的缝隙中穿梭机动，最终完成了又一次历险般的岛礁巡航任务。

南部战区空军轰炸航空兵某团团长　刘锐：

我们是肩负着国家、军队乃至我们全中国人民赋予我们的使命，所以不敢有半点懈怠。

跨过夜幕下一道道森严的岗哨，进入大山深处迷宫般的坑道，火箭军某旅官兵也进入不分昼夜的"战斗时刻"。几十个日日夜夜过去，官兵们已经分不清白昼还是黑夜，他们心中只有使命与担当。

作为共和国大国地位的战略支撑，一旦出征就是壮怀激烈，一旦发射就是雷霆万钧。大山深处的每一方阵地，都展示着一个国家不怒而威的尊严。

从陆地到海上，从空中到空天，实战化，成为回荡在一座座军营和一处处演兵场上的最强音。而最终指向就是建立一支召之即来、来之能战、战之必胜的精兵劲旅。

与演兵场上的巨变一样，这五年，人民军队每一个方面、每一个领域都在发生前所未有的深刻变化。

创新驱动，科技兴军，弯道超车，急起直追。2017年4月26日，第一艘国产航母在大连下水。

国防部新闻发言人　任国强：

中国首艘（国产）航母的建设工作正按计划稳步推进，目前正在进行系统设备的调试和舾装施工，并将全面开展系泊试验。

六万吨的航母，用两年零五十天建造完成，这样的速度在全球航母建造史上首屈一指。大量的创新设计和精密制造让首艘国产航母格外引人注目。建设方的532家合作企业中，77%来自非军工企业。首艘国产航母的建造就是军民深度融合、科技创新的典范。

中国船舶重工集团公司董事长　胡问鸣：

总书记对军队提出了能打仗、打胜仗的要求，这个里面就隐含着对我们国防科技工业装备制造企业，要提供好用管用的装备。因为战场上没有第二名，只有第一名。这个是对我们的创新提出的要求。

航母,大国海军的标配;航母,走向深蓝的依托。2017年9月1日,呼伦湖舰在南海加入海军战斗序列,作为中国自主研制的具有世界先进水平的新型补给舰,可为航母编队、远海机动舰队提供海上伴随保障。

既要敢于亮剑,也要重视铸剑。习近平强调,要把武器装备建设放在国防和军队现代化建设优先发展的战略位置来抓,把装备建设搞得更好一些、更快一些。

习近平主席(2014年11月5日国防科技大学):

你们是为我们的国家,为我们的军队都作出特殊贡献的人。党、人民、军队都会铭记你们所作出的贡献。

驶向深蓝始终是海军航母编队的行进方向。

2017年6月,中国海军航母编队又一次出发远航。

海军辽宁舰舰长　刘喆:

训练试验任务是必不可少的,可以说这条舰就是航母和航母人才的孵化器、培养皿。

2016年12月15日,歼-15舰载战斗机从辽宁舰上挂弹起飞,航母编队成功完成实际使用舰载武器演习,标志着中国航母编队初步形成战斗力。

海军航母编队指挥员　陈岳琪:

这个实际使用武器,它体现了全系统、全流程、全要素。整个编队的所有的能力,都集中能够通过实际使用武器演习来体现出来。

入列不到五年,辽宁舰一步步成为一艘具备作战能力的战斗舰艇。

过去的五年，正是人民军队沿着强军之路加速前行的五年，人民军队实现了政治生态重塑、组织形态重塑、力量体系重塑、作风形象重塑，在中国特色强军之路上迈出了坚实步伐。

细心的人们发现，习近平每到一地出席活动或视察调研，几乎都会同时安排视察当地驻军。

战士：主席同志，列队完毕，请指示！

习近平：我来连队看看。

而看望最多、问候最多的是基层官兵。

习近平：叠得好好的，这是一层褥子还是什么？

战士：一层褥子一层垫子。

他与基层官兵拉家常，他与战士同吃一桌饭。在零下30摄氏度的内蒙古边防，习近平踏雪而行，摘下手套与战士们一一握手。

习近平：你带队啊？

战士：是。

战士：主席好！

习近平：你的衣服够厚吧？

战士：是。

战士：主席好！我是中士施武飞。

战士：主席好！我是下士吴小康。

习近平：你看你们的眼睛，都结冰了，睫毛都结冰了。你们这样的环境我看了以后还是很受感动。爬冰卧雪，为祖国和人民在这里戍边，祖国和人民都不会忘记你们。

作风优良才能塑造英雄军队，作风松散可以搞垮常胜之师。习近平说，改进作风必须自上而下、以上率下，对军队来说，就从军委做起，军委就从我本人做起。

2017年8月23日中午，澳门遭遇五十三年来最强台风"天鸽"正面袭击，又遇天文大潮的叠加，导致不少民宅商铺被淹。

台风过后，澳门损失惨重。

应澳门特区政府请求，经中央人民政府批准，中央军委命令，驻澳门部队出动近千名官兵，协助特区政府灾后重建、恢复秩序。

驻澳门部队司令员　王文：

向澳门人民交一份合格的答卷。

这是解放军首次在港澳地区展开灾后救援行动。

不知疲倦地尽力清理街道，战士们的一言一行都被澳门市民看在眼里。

澳门市民：

我拎着我自己做的晚餐和面包给我们的解放军，我很感谢他们来到澳门，帮了我们好多。

澳门市民：

（解放军）帮了大忙，好感动！

澳门市民懂了，人民军队原来是这个样子。

一张创造了3.3亿点击量的照片，被网友们称为"最美睡姿"。照片里的主人公，是南部战区陆军第75集团军某部战士李金龙。2016年6月，一场特大暴雨袭来，刚刚回贵州老家探亲的李金龙还未来得及脱下军装就投入了抗洪抢险中。4天3夜没合眼，李金龙从水里泥里救出了17名乡亲，端着饭盒就睡着了。

第75集团军某部战士　李金龙：

其实我只是一名人民子弟兵，遇到这样的情况，我身边的任何一个战士都会那样去做，这是一个军人的自然反应。

在"东方之星"沉船救援现场留下"最美军礼"的海军潜水员官东；在九寨沟地震中，迎着撤离人群，冲向灾难现场，留下"最美逆行"的武警战士张国全……这一个个军人在不经意间被人们捕捉到的"最美姿态"，正是这支军队不忘宗旨、不忘初心的生动写照。

服务人民，甘愿奉献；守护和平，不怕牺牲。

内蒙古伊木河边防连巡逻官兵：

连长……连长……连长……

长风怒吼，战马嘶鸣……辽阔的冰面上，呼唤声久久回荡。巡逻的官兵是在呼唤他们的连长。2015年12月30日下午，连长杜宏牺牲在巡逻路上。

内蒙古伊木河边防连巡逻官兵：

连长，我们巡逻路过你这，过来看看你。你放心吧！我们永远跟你在一起！伊木河永远跟你在一起！敬礼！

在战友们的眼中，他们的连长不会走，也没有走。

得知杜宏牺牲后，边防某团团长孙建国连夜冒雪驱车赶到了哨所。

时任北部战区边防某团团长　孙建国：

到了团里那天晚上是凌晨十二（零）点三十五分，当时杜宏躺在俱乐部里……

有着二十多年戍边经历的孙建国，面对镜头难以掩饰痛失战友的痛楚。一个边防战士的生命定格在三十一岁零二十二天，定格在额尔古纳河边的国境线上。

还有"逐梦海天的强军先锋"张超，还有"献身使命的忠诚卫士"张楠，还有抗洪勇士刘景泰，还有维和烈士申亮亮、李磊、杨树朋……祖国无战事，军人有牺牲。这一个个年轻的生命倒在了强军路上，倒在了祖国和人民需要的地方，倒在了维护世界和平的征途中。

2016年3月31日，两架挂载实弹的国产新型战机从中国空军某机场起飞。

机上对讲：

21046，我是空军第1师1团团长，代号245，报告你的任务性质。

我是21046机长，我奉命接运志愿军忠烈回国。

欢迎志愿军忠烈回国，我部歼-11B飞机两架，奉命为你全程护航！

收到，收到！保持队形！

战机以威武严整的战斗队形全程护航，护送36位志愿军烈士英灵回家。

这是崇高的致敬，这是最好的告慰。

六十多年前，英雄们用牺牲换来了国家的生存、民族的尊严、人民的幸福乃至世界和平。

祖国定将记住那些奉献于祖国的人！

在党的强军思想引领下，这支强大的人民军队，这支枕戈待旦的胜战之师，永远是人民共和国的钢铁长城，永远是世界和平的压舱之石。

习近平主席（2017年8月1日在建军90周年大会上的讲话）：

站在新的历史起点上，中华民族实现伟大复兴，中国人民实现更加美好生活，必须加快把人民军队建设成为世界一流军队。

脚印相叠，便成道路。

政治建军、改革强军、科技兴军、依法治军，一步一个脚印，踏石留印。

一支胜战之师、和平之师换羽新生！

第六集 合作共赢

第六集《合作共赢》完整视频

20世纪中叶以后，世界格局经历了前所未有的复杂变化。

伴随着亚非拉民族独立解放事业的蓬勃兴起，中国与邻国共同倡导和平共处五项原则，成为国际关系史上的创举。

面对冷战对抗，中国领导人提出划分三个世界的战略思想，对世界产生了深远的影响。

随着美苏关系调整，国际局势发生新的变化，中国领导人又做出"和平与发展是当今时代两大主题"的重要判断，以此推进改革开放、指导中国外交。

今天，一个大发展、大变革、大调整的时代迎面而来。全球人口最多、经济体量第二的世界大国领导人，面对国际形势正在发生的前所未有之大变局，又将提出怎样的外交理念呢？

2015年9月，习近平第一次以国家元首身份，到访纽约联合国总部。

此刻，中国说什么，习近平说什么，全世界都在倾听。

习近平主席（2015年9月28日联合国总部）：

让我们更加紧密地团结起来，携手构建合作共赢新伙伴，同心打造人类命运共同体。让铸剑为犁、永不再战的理念深植人心，让发展繁荣、公平正义的理念践行人间！

习近平主席（2012年12月5日人民大会堂）：

今天和各位见面，这是我们召开十八大之后，我作为中共中央总书记，第一次会见外宾。当今的世界，和平与发展仍然是时代的主题，国际社会日益成为你中有我、我中有你的命运共同体。

2012年12月5日，在当选中共中央总书记后的首场外事活动上，习近平就深刻阐述了人类命运共同体的理念，向世界传递出对人类文明走向的中国判断。

党的十八大以来，以习近平同志为核心的党中央高举和平、发展、合作、共赢的旗帜，牢牢把握坚持和平发展、促进民族复兴这条主线，开启了构建人类命运共同体的非凡历程。五年来，习近平先后100多次在国际国内重要场合谈及人类命运共同体。

习近平主席（2013年3月25日坦桑尼亚尼雷尔国际会议中心）：

中非从来都是命运共同体。

习近平主席（2015年3月28日博鳌亚洲论坛2015年年会）：

通过迈向亚洲命运共同体，推动建设人类命运共同体。

习近平主席（2016年11月21日秘鲁国会）：

让我们共同打造好中拉命运共同体这艘大船。

从开放发展理念、新安全观、新发展观,到全球治理观、正确义利观,习近平一次次阐述构建人类命运共同体的中国主张。

习近平主席(2014年3月27日联合国教科文组织总部):

我们应该推动不同文明相互尊重,和谐共处,携手解决人类共同面临的各种挑战。

习近平主席(2014年4月1日比利时布鲁日欧洲学院):

我们要建设和平稳定之桥,把中欧两大力量连接起来。

习近平主席(2017年1月17日达沃斯世界经济论坛2017年年会开幕式):

搞保护主义如同把自己关入黑屋子,看似躲过了风吹雨打,但也隔绝了阳光和空气。

九层之台,起于累土;千里之行,始于足下。

党的十八大以来,作为中国的"首席外交官",习近平的足迹遍及五大洲,飞行里程超过57万公里,相当于绕飞地球14圈。

2013年3月,习近平主席就任后首次出访,第一站就选定在中国最大的邻国——俄罗斯。

在莫斯科国际关系学院,习近平阐述了人类命运共同体的理念,并创造性地提出构建以合作共赢为核心的新型国际关系。

习近平主席(2013年3月23日俄罗斯莫斯科国际关系学院):

车尔尼雪夫斯基曾经写道:"历史的道路不是涅瓦大街上的人行道,它完全是在田野中前进的,有时穿过尘埃,有时穿过泥泞，有时横渡沼泽，有时行经丛林。"我们面对国际形势的深刻变化和世界各国同舟共济的客观要求，各国应该共同推动建立以合作共赢为核心的新型国际关系。

"国家和，则世界安；国家斗，则世界乱。"以合作共赢为核心的新型国际关系，超越了西方传统国际关系理论框架，追求合作而不是对抗，共赢而不是零和。这是中国为构建人类命运共同体探索的新路径。

人们不会忘记，在莫斯科红场、在天安门城楼，中俄两国领导人携手并肩、相互支持，共同缅怀历史、倡导和平。

这五年，习近平与普京在各种场合会晤20余次，平均每两个半月一次。两位元首之间的密切互动，引领两国关系进入历史最好时期。

2017年7月4日，普京总统向第6次来访的习近平主席授予俄罗斯国家最高奖章"圣安德烈"勋章。

习近平主席（2017年7月4日俄罗斯莫斯科克里姆林宫）：
我将珍藏这枚象征着中俄两国人民友谊的勋章。

在听了习近平主席的致辞后，原本已经结束讲话的普京总统有感而发，再次即兴讲话。

俄罗斯总统　普京：
我对习近平先生的了解不止一年两年了。您尽管是一个大国领袖，但总是表现得十分谦虚，对自己的功劳并不健谈。中俄诸多关键问题近年来都迎刃而解、取得进展，离不开您的亲力亲为。

同为联合国安理会常任理事国，中俄携手合作、相互支持，对维护世界和平稳定发挥着重要的"压舱石"作用。中俄关系已经成为新型国际关系的典范。

结束了跨越欧亚大陆的首访，习近平主席第二轮出访，就来到了太平洋彼岸。

习近平主席（2013年6月美国加州安纳伯格庄园）：

感谢总统先生的邀请，我们的会面比人们预期的提早了。这个地方很好，是阳光之乡，而且距离太平洋很近，中国就在大洋彼岸。我上次访美的时候讲过一句话，我说宽广的太平洋，它有足够的空间来容纳中美两个大国。我现在依然是这样认为。

在这次中美首脑会晤中，习近平用"不冲突、不对抗，相互尊重、合作共赢"，精辟概括了中美新型大国关系。

然而三年多之后，当新一届美国大选结果揭晓，人们对中美关系的未来走向产生了担忧。

2017年4月6日，新任美国总统特朗普在佛罗里达州的海湖庄园，用热情和独特的仪式，欢迎来自东方的客人。

在海湖庄园，习近平向特朗普提出了一个问题：四十五年前，中美重启交往大门，四十五年来，中美关系不断发展，中美关系今后四十五年如何发展？习近平对特朗普说：这需要我们深思，也需要两国领导人做出政治决断，拿出历史担当。

美国卡内基国际和平基金会副会长　包道格：

习近平主席他很自信，处理这些事情时游刃有余，无论是敏感话题还是其他话题，他都能周旋有度。

习近平主席（2017年4月6日美国佛罗里达州海湖庄园）：

我们进行了这次中美元首会晤,更重要的是我们深入地进行了了解。

海湖庄园会晤之后,特朗普在多个场合表达对习近平的敬重,并表示对会晤成果"十分满意"。

美国总统　特朗普：

我与中国的习主席会谈非常融洽,我十分喜欢他,我认为我们有非常好的化学反应。

美国哈佛大学费正清中国研究中心研究员　陆伯彬：

特朗普愿意与习近平主席合作,并认为他是位讲道理的人,这是一个很好的讯号。中美两国元首为两国关系打好了坚实基础,建立了良好的个人关系,这是非常重要的。

"大国是关键、周边是首要、发展中国家是基础、多边是重要舞台"。

中国要实现中华民族伟大复兴的梦想,就必须秉持开放发展理念,拥抱越来越大的朋友圈,而世界也对中国这个"大块头"充满了兴趣和期待。

这五年,中欧"和平、增长、改革、文明"的四大伙伴关系建设不断加强。

这五年,亚洲命运共同体建设日益巩固,"亲、诚、惠、容"的周边外交理念深入人心。

这五年,中非传统友谊历久弥新,中非关系站到了新的历史起点。

这五年，中拉携手共建命运共同体，为中拉关系发展开辟了更广阔的前景。

这五年，同中国建立不同形式伙伴关系的国家、地区和地区组织已经达到了 100 个左右，实现了对世界各个地区、不同类型国家的全覆盖。

这五年，建立以合作共赢为核心的新型国际关系获得国际社会广泛认同。越来越大的"朋友圈"，为中国的发展营造了有利的外部环境和战略支撑，也为构建人类命运共同体的宏大实践奠定了坚实的基础。

2017 年 5 月，习近平在"一带一路"国际合作高峰论坛上，谈到了他对于世界未来走向的思考。

习近平主席（2017 年 5 月 14 日 "一带一路"国际合作高峰论坛）：

世界经济增长需要新动力，发展需要更加普惠平衡，贫富差距鸿沟有待弥合。和平赤字、发展赤字、治理赤字，是摆在全人类面前的严峻挑战。这是我一直思考的问题。

一直思考的问题，彰显习近平"胸怀天下、立己达人"的情怀和担当，而自从他上任以来，就一直在为这些全球根本性问题努力求解。

如果说构建以合作共赢为核心的新型国际关系，是侧重于解决"和平赤字"问题的药方，那么，习近平提出的"一带一路"倡议，就是为解决"发展赤字"问题谋求的出路。

时间回到四年前。2013 年 9 月 7 日，在古丝绸之路的重镇哈萨克斯坦，习近平首次提出了共建"丝绸之路经济带"的重大倡议。

习近平主席（2013年9月7日哈萨克斯坦纳扎尔巴耶夫大学）：

我们可以用创新的合作模式，共同建设丝绸之路经济带。

20多天后，在海上丝绸之路的重要途经地印度尼西亚，习近平进一步提出了共建"21世纪海上丝绸之路"的倡议。

习近平主席（2013年10月3日印度尼西亚国会）：

中国愿同东盟国家，共同建设21世纪海上丝绸之路。

"一带一路"倡议，至此完整提出。根据这一倡议，既可以填平亚欧欠发达地区的洼地，弥合贫富差距的鸿沟，为世界经济增长注入新的动力，实现全球更加普惠平衡的发展，也能为中国国内发展打造新的增长极。

习近平主席（2015年11月7日新加坡国立大学）：

"一带一路"倡议的首要合作伙伴是周边国家，首要受益对象也是周边国家，我们欢迎周边国家参与到合作中来，共同推进"一带一路"建设，携手实现和平、发展、合作的愿景。

"一带一路"建设，从顶层设计、愿景规划，到落地生根，习近平都亲力亲为。他在不同场合不断重申，"一带一路"建设，不是中国一家的独奏，而是沿线国家的合唱；不是另起炉灶、推倒重来，而是要与相关国家和地区实现战略对接、优势互补。

南欧江是老挝境内湄公河东岸最大的一条支流，水能资源丰富，但是基础建设严重不足。

在亚洲，许多地区像南欧江流域一样资源丰富、潜力巨大却贫穷落后、发展缓慢,而原有的国际金融机制难以提供充裕的资金支持。为此,2013年10月,习近平倡议设立亚洲基础设施投资银行。

2016年1月16日,在历经800多天的筹备之后,亚投行正式开业。在习近平的亲自推动下,仅创始成员国就达到了57个。

习近平主席(2016年1月16日亚投行开业仪式):

亚投行的成立,说明了一个道理:有志者事竟成。我们相信,面对人类和平与发展的繁重任务,只要国际社会坚定信心、增进共识、合作共赢,我们不仅能够想做事,而且也能做成事。

亚投行是全球首个由中国倡议设立的多边金融机构,极大推动了"一带一路"的资金融通。

亚投行开业两个月后,南欧江二期七级水电站主体工程正式开工,这也是亚投行投入建设的第一批项目之一。

老挝国家主席 本扬:

我坚信"一带一路"倡议,将为包括老挝在内的各参与国的人民带来福祉。

南欧江二期工程的建设,也带动了当地民生的极大改善。

老挝琅勃拉邦省哈克村村民 坎千:

我六十一岁,我是老龙族人。老家和新家差别很大,这里有诊所和医院,这里有俱乐部、有市场,水电站的建立给我们的生活带来了方便,现在小孩上学也方便了。

意大利前总理　达莱马：

"一带一路"倡导合作、和平,提倡不同国家之间的和平共事,特别是给那些盼望和平、稳定、繁荣的人民带来希望。

就在南欧江二期工程开工的同时,远在爱琴海畔的希腊港口城市比雷埃夫斯,也正在迎接一次历史命运的转变。

比雷埃夫斯港是希腊最大的港口。2008年金融危机之后,港口的经营陷入了困境。

2014年7月13日,就在希腊面临最严峻考验的时候,习近平出访拉美途中,在希腊技术经停。在会见专程前来的希腊领导人时,习近平坚定表示,中方愿意继续向希腊提供帮助,支持中国企业经营好比雷埃夫斯港项目。

比雷埃夫斯港的命运由此发生转变。中国远洋运输集团总公司通过追加投资和收购股权,迅速将比雷埃夫斯港的国际排名从第93位提升到第38位,使之成为21世纪海上丝绸之路的耀眼明珠。

中远海运希腊比雷埃夫斯港员工　塔索斯·旺瓦柯迪斯：

整个比雷埃夫斯港项目现在成了"一带一路"的支点项目。像我们中国朋友谈到的一样,几十年之后,这里的投资都会原封不动地留下来。古老的比雷埃夫斯港被唤醒了,我想永远地成为比雷埃夫斯的孩子。

中国远洋海运集团有限公司董事长　许立荣：

构建人类命运共同体这样一个伟大的构想,给中国企业走出去带来了非常好的机会。对希腊政府来讲,它同样享受到了给它带来的贡献。

"一带一路"倡议提出一年之后，在东非大陆，一条被称为"世纪铁路"的蒙内铁路破土动工。它从东非第一大港蒙巴萨，通往肯尼亚首都内罗毕，全长480公里，全部采用中国标准、中国技术、中国装备，这是肯尼亚独立以来规模最大的民生工程。

肯尼亚铁路局局长　阿斯塔纳·麦伊纳：

（蒙内铁路）项目在施工高峰期直接或间接创造了超过3万个工作岗位，相当于肯尼亚千分之一的就业岗位。

承建蒙内铁路的中国建设者，从质量保证到环境保护，都切实履行社会责任。沿线设立的所有桥梁式动物通道，高度都在6.5米以上，就连长颈鹿通过也不需要低头。

2017年5月31日，蒙内铁路正式通车。习近平主席派出特使出席通车仪式。肯尼亚总统肯雅塔与近1300人登上首趟列车，全程体验这片土地上122年来的首条标轨铁路。

无论世界如何改变，中非情谊始终如一。

2015年12月，习近平出席中非合作论坛约翰内斯堡峰会，推动"一带一路"与非洲"2063年愿景"对接。在现场，习近平还宣布了中非"十大合作计划"。

习近平主席（2015年12月4日中非合作论坛约翰内斯堡峰会）：

让我们携手努力，汇聚起中非24亿人民的智慧和力量，共同开启中非合作共赢、共同发展的新时代！

南非总统　祖马：

中国到这里不是抢劫和殖民的，中国来这里是来帮助非洲发展的,习近平主席说,我们需要共同发展、共同进步。

今天的中国,是全世界公认的最蓬勃的发展力量,她也正在以恢弘的气度、博大的胸怀推动着全球的共同发展。中国倡议的"一带一路",秉承共商、共建、共享原则,推动政策沟通、设施联通、贸易畅通、资金融通、民心相通,成为当今世界规模最大的国际合作平台。

"一带一路"倡议提出四年来,100多个国家和国际组织积极支持参与。2014年至2016年,中国同"一带一路"沿线国家贸易总额超过3万亿美元,对"一带一路"沿线国家投资累计超过500亿美元。亚投行已经为"一带一路"建设参与国的9个项目提供17亿美元贷款,"丝路基金"投资达40亿美元。

被称为"钢铁新丝路"的中欧班列,已经铺画运行线52条,国内开行城市达到32个,到达欧洲12个国家32个城市。中欧班列已经开行突破5000列。

2017年5月14日,"一带一路"国际合作高峰论坛在北京举行。

习近平主席(2017年5月14日"一带一路"国际合作高峰论坛):

"一带一路"建设植根于丝绸之路的历史土壤,重点面向亚欧非大陆,同时向所有朋友开放。"一带一路"建设将由大家共同商量,"一带一路"建设成果将由大家共同分享。

国际货币基金组织总裁　克里斯蒂娜·拉加德:

中国提出的"一带一路"倡议是一个非常具有积极意义的

提议，它的积极性体现在促进增长方面。

世界银行行长　金墉：

我们想让全球市场体系为在"一带一路"沿线上的每个人服务。

"一带一路"倡议，汲取古代丝绸之路的丰厚营养，承载复兴丝路的现代梦想，用极富想象力和开创性的方式，打造出广受好评的国际公共产品。

路路相连，美美与共。"一带一路"是和平之路、繁荣之路、开放之路、创新之路、文明之路，更是通往"人类命运共同体"之路。

2017年1月，习近平在联合国日内瓦总部发表了主题为《共同构建人类命运共同体》的演讲。

习近平主席（2017年1月18日联合国日内瓦总部）：

瑞士军刀，是瑞士工匠精神的产物。我第一次得到一把瑞士军刀时，我就很佩服人们能赋予它那么多的功能。我想，如果我们能为我们这个世界打造一把精巧的瑞士军刀就好了，人类遇到什么问题，就用其中的一个工具去解决它。我相信，只要国际社会不懈努力，这样一把瑞士军刀是可以打造出来的。

万国宫的800多位与会者听懂了习近平的这个比喻。他们期待，中国为解决"治理赤字"提供切实可行的中国方案。而这，正是习近平思考的命题。

2014年11月，亚太经合组织第二十二次领导人非正式会议在北京雁栖湖举行。在各成员提出的100多项合作倡议中，一半以上由东道主中国提出。习近平宣布，启动此前搁置了10年的亚太自由贸易区建设。

国内外的观察者发现，近些年全球经济治理领域达成诸多共识、做出了不少承诺，但难以见到行动，而此次作为东道主的中国，担当起了"领头雁"。

两年后的2016年，亚太经合组织第二十四次领导人非正式会议移师南美主办。习近平连续第四次出席峰会，并对拉美三国进行国事访问。在这次峰会通过的《利马宣言》中，亚太地区21个经济体重申，将致力于最终实现亚太自贸区。

习近平主席（2017年9月4日金砖国家领导人厦门会晤）：

我宣布：金砖国家领导人厦门会晤开幕。

2017年9月，金砖国家领导人第九次会晤在中国厦门举行。中国继续为完善全球经济治理贡献方案和智慧。

习近平主席（2017年9月4日金砖国家领导人厦门会晤）：

没有我们五国参与，许多重大紧迫的全球性问题难以有效解决。我们就事关国际和平与发展的问题共同发声，共提方案，既符合国际社会期待，也有助于维护我们的共同利益。

从亚太经合组织北京峰会、二十国集团领导人杭州峰会，再到金砖国家领导人厦门会晤，中国以浓墨重彩的主场外交为全世界搭建舞台，中国和其他新兴市场国家、发展中国家在全球经济治理中的议程设置权、规则制定权和国际话语权显著增强，有力推动全球治理体系朝着更加公正合理的方向发展。

全球气候治理，是最复杂最难以达成共识的国际公共问题之一。

2015年11月30日，气候变化巴黎大会召开。开幕当天，习近平抵达会场，这是中国最高领导人首次出席气候变化大会。

习近平主席（2015年11月30日气候变化巴黎大会开幕式）：

作为全球治理的一个重要领域，应对气候变化的全球努力是一面镜子，给我们思考和探索未来全球治理模式，推动建设人类命运共同体带来宝贵启示。

气候变化巴黎大会原定于12月11日结束。但在经过12天马拉松式的艰苦谈判之后，仍然无法在预定期限内达成协议，被迫进入"加时赛"。

气候变化巴黎大会主席　洛朗·法比尤斯：

那是2015年12月12日星期六，我向全世界公布巴黎协定的最终文本，有一些国家还是有些犹豫。于是我去见与我们共事的中国朋友，他对我说，习主席说了，（巴黎协定）一定要成功，我会帮助你的。一个小时之后，他回来跟我说，那些国家同意了。

中国气候变化事务特别代表　解振华：

当时是斗争非常激烈，矛盾非常尖锐。应该说习主席一直走在前面，亲自做工作，提出了各个国家要求同存异，相向而行，最后要做极端意见的各方面工作，然后要把最后的结果往中间靠。

面对气候变化这一攸关人类前途命运的重大挑战，中国不仅拿出了方案，而且努力推动谈判进程。中国，是人类命运共同体理念的首倡者，更是这一理念的践行者。中国在全球治理中日益提升的话语权，是靠自己的行动赢来的！

气候变化巴黎大会主席　洛朗·法比尤斯：

我收到的反馈都是积极的，我没有听到反对的声音。我宣布，巴黎气候协定通过。

2015年12月12日，《巴黎协定》最终通过。

法国前总理　拉法兰：

我认为，中国的习近平主席是稳定的因素，在全球危机中安稳人心。当今，习近平可以被视作一位代表和平的人，他追求稳定、促进对话、尊重国际制度、推动国际合作。我认为他是全世界承认的世界性领导人。

无论从哪一个角度打量，中国始终是世界和平的建设者、全球发展的贡献者、国际秩序的维护者，这是构建人类命运共同体的中国特色、中国风格、中国气派。

亚洲邻居会记得，习近平主席曾经说过：中国开放的大门永远不会关上，欢迎各国搭乘中国发展的"顺风车"。

俄罗斯伙伴会记得，习近平主席曾经说过：中俄两国山水相连，是好邻居、好伙伴、好朋友。中俄两国要不断巩固传统友谊，继续携手走向复兴。

美国朋友会记得，习近平主席曾经说过：我们有一千个理由把中美关系搞好，没有一个理由把它搞坏。

欧洲大陆会记得，习近平主席曾经说过：中国这头狮子已经醒了，但这是一只和平的、可亲的、文明的狮子。

拉美人民会记得，习近平主席曾经说过：我们梦想相同、心灵相通，深化全方位合作恰逢其时。

非洲兄弟会记得，习近平主席曾经说过：中国人讲究"义利相兼，以义为先"。中非关系最大的"义"，就是用中国发展助力非洲的发展。

阿拉伯国家会记得，习近平主席曾经说过：中阿两个民族彼此真诚相待，这份信任牢不可破，是金钱买不到的。

联合国的史册上会记载，习近平主席曾经在这里告诉世界：中国人民的梦想同各国人民的梦想息息相通。

从亚太经合组织北京峰会、二十国集团领导人杭州峰会、金砖国家领导人厦门会晤，到上海合作组织、亚信会议、中国—东盟10+3等多边合作机制，从经济、气候治理，到海洋、极地、网络、外空、核安全等新兴领域治理，从坚定维护国家主权、安全、发展利益，到积极推动解决热点问题和全球性挑战……全球治理的平台有多大，中国领导人的脚步就走多远！

2017年3月17日，"构建人类命运共同体"的理念首次载入联合国安理会决议。中国方案赢得世界认同，中国智慧成为全人类共同财富。

2015年9月，在联合国维和峰会上，习近平主席讲述了这样一个故事。

习近平主席（2015年9月28日联合国维和峰会）：

五年前，中国维和女警察和志虹在海地执行联合国维和任务时不幸殉职，留下年仅4岁的幼子和年逾花甲的父母。她曾经写道，大千世界，我也许只是一根羽毛，但我也要以羽毛的方式承载和平的心愿。这是她生前的愿望，也是中国对和平的承诺。

坚定支持并积极参与国际维和与安全行动，既是中国的国际义务，也是维护中国海外利益的必然选择。截至2017年7月，中国已累计派出维和军事人员3.5万余人次，在联合国安理会常任理事国中名列第一。中国海军还累计派出编队26批、舰艇83艘次、官兵22000余人，执行海外护航任务。

2015年年初，也门安全局势突然恶化。习近平果断命令，中国海军护航编队即刻前往撤侨！这是中国第一次动用军舰展开撤侨行动。

获救中国公民　邓令令：

军舰驶过来的时候，看到中国国旗，中国的军舰和中国人民解放军，当时就觉得我们真的是回家，确实是有希望，祖国没有忘记我们。

获救中国公民：

共产党万岁！祖国万岁！

9天内，629名中国同胞全部安全撤离，来自15个国家的279名外国公民，也搭乘中国军舰平安回家。

这是大国力量的检验，这是大国责任的展示。

这五年，中国维护海外利益的能力得到了前所未有的提升。身处海外的中国公民无论在平常时刻还是危急关头，都能深刻感受到，祖国就在身边。

这五年，中国公民享受到中国特色大国外交带来的"红利"，中国护照的含金量越来越高。截至 2017 年 8 月，中国公民持普通因私护照可免签或落地签前往 64 个国家和地区。

今天的中国人，更加强烈地感受到身为中国人的安全感与自豪感，也更加强烈地领悟到"世界好、中国才能好，中国好、世界才更好"的道理。

习近平主席（2017 年 1 月 18 日联合国日内瓦总部）：

让和平的薪火代代相传，让发展的动力源源不断，让文明的光芒熠熠生辉，是各国人民的期待，也是我们这一代政治家应有的担当。

是什么给了中国人民和中国领导人如此强大的责任感和自信心？习近平这样回答：

习近平主席（2014 年 3 月 28 日在德国柏林科尔伯基金会的演讲）：

一个民族最深沉的精神追求，一定要在其薪火相传的民族精神中来进行基因的测序。有着 5000 多年历史的中华文明，始终崇尚和平、和睦、和谐，这种追求深深植根于中华民族的精神世界之中，深深融化在中华民族的血脉之中。

历史，给每一代人提供了不同的舞台；但文化，却决定了一个民族永恒的追求。

雄伟的天安门城楼，是人民共和国的重要象征。在城楼的两侧，镌刻着一幅已有六十七年历史的标语。直到今天，人类命运共同体中的每一个成员，不仅可以用眼睛看到它，更可以用心感受它,无论过去、现在还是将来。

中华人民共和国万岁!

世界人民大团结万岁!

第七集

永立潮头

第七集《永立潮头》完整视频

新的时代背景下，中国共产党面临的长期执政、改革开放、市场经济和外部环境的考验，依然严峻；精神懈怠、能力不足、脱离群众和消极腐败的危险，愈发凸显。

社会调查表明，人民群众关注度最高的问题，正是党风廉政建设；国际舆论显示，某些政治观察者认为中国坐在火山口上，每隔几年，就会重弹一遍"中国崩溃论"。

作为中国工人阶级的先锋队，也是中国人民和中华民族的先锋队。新时期的中国共产党，面对具有许多新的历史特点的伟大斗争，如何永立潮头，永葆无产阶级政党的先进性和纯洁性？她又将在中华民族伟大复兴的征程中，写下怎样的篇章？

人民在期盼，世界在关注！

2012年12月8日，一个普通的周六上午。

几辆中巴车，在游人的不经意间，缓缓驶进了深圳莲花山公园。

深圳市民：

因为很多人都不知道习主席会来,所以山顶上好多人还在那儿健身呢。

深圳市民：

绝对是没有安检,真是肯定是没有安检的,我当时就感觉到很意外。

那两天,不只是在莲花山,在深南路、在沿途所经之处,许多深圳市民都意外地发现,新当选的中共中央总书记习近平就出现在他们身边。在总书记的这次深圳之行中,深圳市所有路口都不限行不封路,很多市民都偶遇了习总书记的车队。

就在习近平这次离京考察前几天,中央政治局刚刚审议通过了关于改进工作作风、密切联系群众的八项规定。

八项规定刚刚公布时,很多人并没有意识到变化已经发生。有关负责同志在检查菜单时,就发现接待工作人员自作主张地加了两个菜。

接待工作人员　庄锐：

那天被批评了,这两个菜没在这菜单中。

这种变化,不仅让庄锐这样的普通工作人员感受深刻,一些党的高级干部,也深受触动。

广东省政协主席、时任深圳市委书记　王荣：

历次出台的东西,在执行的过程当中,确实从中央到地方,执行的效果上是递减的,甚至到地方上,最后有的形同虚设。这次他(习总书记)提出来以后,他用他的行动告诉你,必须这样做，没有商量，没有变通。

2013年7月21日，习近平来到武汉新港考察，没有鲜花，没挂欢迎横幅。习近平卷起裤腿，打着雨伞，冒雨考察，身上的衬衣全都淋湿。

"其身正，不令而行；其身不正，虽令不从。"习近平用他的行动示范全党，八项规定不是摆设，是常态。

习近平总书记（2013年1月22日十八届中央纪委二次全会）：

各级领导干部要以身作则，率先垂范，说到的就要做到，承诺的就要兑现。中央政治局同志，从我本人做起。

2013年3月，在第十二届全国人民代表大会第一次会议上，习近平当选为国家主席。他在闭幕会上对全体共产党员特别是党的领导干部提出要求：

习近平总书记（2013年3月17日十二届全国人大一次会议闭幕会）：

坚决反对形式主义、官僚主义，坚决反对享乐主义、奢靡之风，坚决同一切消极腐败现象作斗争，永葆共产党人政治本色，矢志不移为党和人民事业而奋斗。

这是人们第一次听到反"四风"的完整表述。很快，一连串的行动，让整个世界都清楚地看到，这场思想洗礼、作风建设，给中国共产党带来的变化。

从整治"舌尖上的腐败""会所中的歪风""车轮上的铺张"，到清理超标办公用房、公款吃喝、公款旅游、"小金库"、"吃空饷"……在自上而下分批开展的党的群众路线教育实践活动中，一些曾被认为不可能刹住的歪风邪气被刹住了，一些司空见惯的作风难题被攻克了，人民群众对干部清正、政府清廉、政治清明的殷切期盼逐步变成了现实。

中央纪委副书记、监察部部长　杨晓渡：

总书记从十八大开始一步一步往前走，从八项规定入手，从中央政治局带头做起，以上率下，我觉得这个是解决我们党存在问题的最合适的切入口和逐步由浅入深、由表及里的一些治本的做法。从治标入手到治本，直面问题，我认为这个才叫力挽狂澜之举。

2013年7月，习近平总书记来到革命圣地西柏坡，他在这里和干部群众召开了一次座谈会。

习近平总书记（2013年7月11日西柏坡）：

我一直在想一个问题，这么多年来中央经常讲反复提"两个务必"，围绕改进作风也发了不少的文件，采取了不少的措施，但为什么背离"两个务必"搞形式主义、官僚主义、享乐主义、奢靡之风这一套还是有不小的市场，主要原因还是党要管党，从严治党的方针，在有些地方没有落到实处，在一些地方管党治党失之于宽、失之于松。上有所好，下必甚焉；上有所恶，下必不为；上面松一寸，下面松一尺。历史是最好的教科书，当年党中央离开西柏坡的时候，毛泽东同志说"进京赶考"，并且豪迈地说"不要退回来，我们绝不当李自成"。现在六十多年过去了，应该说党面临的"赶考"远未结束。

"赶考",是习近平多次强调的关键词汇。党的形象和威望、党的创造力、凝聚力、战斗力不仅直接关系党的命运,而且直接关系国家的命运、人民的命运、民族的命运。

十八大闭幕20天后,中央纪委宣布四川省委原副书记李春城涉嫌严重违纪,接受组织调查,拉开了"打虎拍蝇"的序幕。

2013年1月22日,十八届中央纪委二次全会在北京召开。在这次会议上,习近平要求纪检工作要坚持标本兼治、综合治理、惩防并举、注重预防方针,更加科学有效地防治腐败,坚定不移把党风廉政建设和反腐败斗争引向深入。

习近平总书记(2013年1月22日十八届中央纪委二次全会):

扬汤止沸,不如釜底抽薪。要从源头上有效防治腐败。

他特别强调,要形成"不敢腐的惩戒机制、不能腐的防范机制、不易腐的保障机制"。

党的十八届六中全会前夕,电视专题片《永远在路上》播出,多名落马高官"现身说法",引发了全社会的广泛关注和强烈反响。

专题片的热播,反映的是民心向背,反映的是人民群众对以习近平同志为核心的党中央以雷霆手段严肃党的纪律的坚决拥护。

打虎、拍蝇、猎狐!领导干部违纪违法案件要坚决查处,发生在群众身边的不正之风和腐败问题也要切实解决,特别是扶贫领域的"蛀虫"、横行乡里的"村霸"和宗族恶势力,都受到重拳打击,人民群众拍手称快。

截至 2017 年 6 月底，全国共立案审查中管干部 280 多人，厅局级干部 8600 多人，县处级干部 6.6 万人；截至 2017 年 7 月底，全国累计查处违反中央八项规定精神问题 18 万多起，处分 24 万多人。

国家统计局问卷调查结果显示，人民群众对反腐败工作成效表示很满意或比较满意的比例由 2012 年的 75%增长至 2016 年的 92.9%。有群众对反腐败发出了这样的评论：这是"我们党用自己的'清廉指数'兑现老百姓的'幸福指数'"。

群众：习总书记反腐倡廉的力度是非常大的，我们老百姓应该说是非常受鼓舞的。

群众：必须有习总书记这样的人，大刀阔斧地来进行整治。

群众：要有规矩。没有规矩不成方圆，要把规矩做好。

群众：所以我们老百姓还是觉得非常满意。领导干部不想腐，不敢腐。

2014 年的两会上，全国人大代表、著名作家二月河，用"蛟龙愤怒、鱼鳖惊慌、春雷一击、震撼四野"这十六个字，描述自己对十八大召开仅仅一年多的反腐成绩的感受。三年以后，在 2017 年的两会上，又有人问起同样的问题，二月河的回答是：没有历史可与今天相比！

作家　二月河：

这种横扫千军如卷席，这样一种雷霆万钧之势，这是进入十八大以后，才真正形成起来。查遍我们的二十四史，没有任何一个时期，在反腐上头下了这么大的决心，用了这么大的功夫，动员了这么集中的力量。

澳大利亚前总理　陆克文：

2012年习近平说到要反腐时，他是认真的，我想许多人都对他采取的反腐力度感到震惊，连续五年从未停止。这对中国的政治和决策产生了极大的影响。

美国前财政部长　亨利·保尔森：

我很赞赏习近平主席的举措，对于一个国家来说，没有什么是比腐败更为严重的损失和隐患。

中共中央对外联络部部长　宋涛：

各国政党政要充分肯定十八大以来我们党全面从严治党的决心和做法，高度评价中国共产党在习近平总书记领导下实现自我净化、自我完善、自我革新、自我提高方面取得的显著成效。

2017年1月6日，新年的钟声还在回响，十八届中央纪委七次全会在北京举行，在这次会议上习近平总书记面向全党、全国、全世界作出重大政治判断：经过全党共同努力，党的纪律建设全面加强，腐败蔓延势头得到有效遏制，反腐败斗争压倒性态势已经形成，不敢腐的目标初步实现，不能腐的制度日益完善，不想腐的堤坝正在构筑。

习近平总书记（2017年1月6日十八届中央纪委七次全会）：

党和人民把我们放在这个位置上，历史的接力棒传到我们手中，我们就要对党、对国家、对民族、对人民负责。就要敢于同破坏党的领导、损害党的肌体的行为作斗争，否则我们就会成为历史的罪人。这就叫得罪千百人，不负十三亿。

行程万里，不忘初心！

在发展社会主义市场经济和深化改革开放的新的历史条件下，全党能不能始终保持坚定的理想信念，已经成为决定党和国家命运的关键所在。

党的十八大以来，以习近平同志为核心的党中央，始终把坚定理想信念作为开展党内政治生活的首要任务。习近平反复告诫全党同志：

习近平总书记（2014年1月20日党的群众路线教育实践活动第一批总结暨第二批动员大会）：

理想信念是共产党人的精神之"钙"，必须加强思想政治建设，解决好世界观、人生观、价值观这个"总开关"问题。

2014年的夏天，泡桐开花的时候，习近平又来到兰考。

这里，是他多次来过的地方。就在两个月前，他还刚刚来过一次。

习近平这两次到兰考，是为了联系兰考开展党的群众路线教育实践活动。他说：兰考县地处中原，改革发展和各方面工作有一定代表性；兰考还是焦裕禄同志工作和生活过的地方，是焦裕禄精神的发源地。因此，我很愿意联系兰考。

在他到达的前一天，兰考县的民主生活会一直持续到深夜。

时任兰考县委副书记　毛卫丰：

他当时给我们要求很高，一定要刺刀见红，一定要红脸出汗。

在批评与自我批评中，兰考县长周辰良没有忍住自己的眼泪。

时任兰考县县长　周辰良：

很多人说我当时是不是有点作秀啊，或者说有点在演戏啊。如果你置身到那个环境、那个场景的话，你肯定不会这样问，因为那是一个触及灵魂的场所。

触及灵魂，是党加强思想建设的必然要求，也是党对广大党员最大的关心和爱护。

习近平强调：不能把理想信念只当口号喊。理想信念动摇是最危险的动摇，理想信念滑坡是最危险的滑坡。没有理想信念，或理想信念不坚定，精神上就会"缺钙"，就会得"软骨病"，就可能导致政治上变质、经济上贪婪、道德上堕落、生活上腐坏。

勇于自我革命，是中国共产党最鲜明的品格和最大的优势。

党的十八大以来，以习近平同志为核心的党中央，着力增强党内政治生活的政治性、时代性、原则性、战斗性，不断加强和规范党内政治生活。从八项规定到群众路线教育实践活动，从"三严三实"到"两学一做"，改造思想，触及灵魂，目的就是要坚定党的理想信念和根本宗旨。

习近平总书记（2014年1月20日党的群众路线教育实践活动第一批总结暨第二批动员大会）：

党内生活是锻炼党性、提高思想教育的熔炉。如果炉子长期不生火，或者生了火却没有足够的温度，那是炼不出钢来的。

党员干部只有在严格的党内生活中反复锻炼，才能坚强党性、百炼成钢。

加强党内思想教育，不能回避尖锐复杂的时代课题，必须实现理论创新的伟大飞跃。

党的十八大以来，以习近平同志为核心的党中央，保持和发扬与时俱进的理论品格，勇于推进实践基础上的理论创新，在坚持马克思主义基本原理的基础上，以更宽广的视野、更长远的眼光思考和把握国家未来发展面临的一系列重大战略问题，在理论上不断拓展新视野、作出新概括，深化和发展了中国特色社会主义理论体系，为推动党的建设扬起了时代的风帆，为发展马克思主义注入了新鲜的血液。

求木之长，必固其根本。得郡县治，则天下安稳！

以习近平同志为核心的党中央，高度重视党的组织建设，特别是基层队伍的建设。

习近平要求党的县委书记，要心中有党，心中有民，心中有责，心中有戒，做焦裕禄式的县委书记。

在全国国有企业党的建设工作会议上，习近平强调，要把抓好党建作为最大的政绩。

在全国高校思想政治工作会议上，习近平要求，要把思想政治工作贯穿教育教学全过程。

在全国组织工作会议上，习近平提出了好干部应有的五条标准：信念坚定、为民服务、勤政务实、敢于担当、清正廉洁。他特别强调了"担当"二字。

习近平总书记（2013年6月28日全国组织工作会议）：

为官避事平生耻，担当大小体现着干部的胸怀、勇气、格调。有多大担当，才能干多大事业。

2015年6月30日，经党中央同意，中共中央组织部发布《关于表彰全国优秀县委书记的决定》，102名同志被授予"全国优秀县委书记"称号。

习近平总书记（2015年6月30日全国优秀县委书记表彰活动）：

如果我们有了为人民服务的心，你居庙堂之高，你仍然不会忘江湖之远。你们这一段难忘的经历，一定不要匆匆而过，就是要在跟群众的联系方面，贴近群众方面，一定要下真功夫。

中央组织部副部长　齐玉：

总书记担任过县委书记，他对县委书记的地位、作用和责任，他是有深切的认识和了解的。评选和表彰全国优秀县委书记，就是为更多的县委书记和各级领导干部树立一批可学、鲜活、过硬的榜样。

就在这次表彰活动中，时任福建省政和县县委书记的廖俊波，榜上有名。

2011年，廖俊波到任时，政和县的经济发展水平在福建排名垫底。八山一水一分田，除了茶叶和毛竹，财政收入只有1.6亿元。"当官当到政和，洗澡洗到黄河"，当地百姓用这句话形容到政和做官是件倒霉的事。

时任福建省政和县县委书记　廖俊波（生前采访资料）：

贫困地区，其实干部存在的问题，主要还是信心不足，所以我觉得作为县委书记最重要的一个事,就是做凝心聚力的事,就是要把他的信心提振起来。

廖俊波认为,出路在提升传统农业,催生新兴产业,促进产业集聚,走一条差异化的发展路子。

一年一个样,三年大变样。三年全县贫困人口减少3万人。2015年,廖俊波离开时,政和县已连续多年闯入全省县域经济发展十佳名单。

福建省南平市委组织部部长　罗志坚:

(廖)俊波同志他心底无私,胸襟坦荡,真正是把习总书记明白人、开路人、贴心人、领头人的要求,融入到骨髓,融入到血液。

2017年3月18日晚上19时30分许,时任南平市副市长的廖俊波在赶赴工作现场的路上,遭遇车祸,因公殉职。

噩耗传来,无数政和百姓痛彻心扉。

政和县松源村党支部书记　袁云机:

特别后悔的是,他连我们村民一餐饭都没吃,这是我最难受的。

2017年4月14日,习近平总书记对廖俊波同志先进事迹作出重要指示强调,廖俊波同志任职期间,牢记党的嘱托,以实际行动体现了对党忠诚、心系群众、忘我工作、无私奉献的优秀品质,无愧于"全国优秀县委书记"的称号。

坚持和完善党的领导,既要解决当前突出的问题,也要立足长远、守正出新。

全面从严治党，既要依靠教育，也要依靠制度。习近平形象地把它比喻成：要把权力关进制度的笼子里。

党的十八大以来，以习近平同志为核心的党中央围绕全面从严治党、依规治党的重大决策部署，大力推进党的制度建设，统筹谋划、不断创新，一张从严管党治党的制度网络越织越密。

2013年，《中央和国家机关会议费管理办法》《党政机关厉行节约反对浪费条例》等多部党内法规出台，为党的群众路线教育实践活动提供了有力的制度保障。

2014年，党中央修订了《党政领导干部选拔任用工作条例》，它和此后公布的多类党的组织工作条例等党内规范，为党提供了选人用人的更完备依据。

2015年，《中国共产党巡视工作条例》正式颁布。标志着自十八大起实现了重大创新、取得了重大成果的党内巡视工作，在制度建设上得以加强和巩固。

2016年1月，《中国共产党廉洁自律准则》和《中国共产党纪律处分条例》开始实施，明确了党员追求的高标准和管党治党的戒尺。

2016年10月，《关于新形势下党内政治生活的若干准则》和《中国共产党党内监督条例》同时出台，开启了全面从严治党的新征程。

2017年，中央政治局审议通过了《关于修改〈中国共产党巡视工作条例〉的决定》。《关于加强党内法规制度建设的意见》也正式出台。

党的十八大以来，党内出台或修订党内法规80余部，超过了现有党内法规的40%。

在党章之下，由党的组织法规制度、党的领导法规制度、党的自身建设法规制度、党的监督保障法规制度四大板块有机组成的"1+4"的党内法规制度体系建设，正呈现出前所未有的扎实架构和强大生机。

如果说加强理想信念教育，是为全党补足精神上的"钙"，那么，加强组织和制度建设，就像通经络、养血脉，让全党上下通达，协调统一，令出则行，禁出则止，步调一致，知所进退，使全党形成更加强健的有机整体，可以应对更加严峻的考验，承担更加艰巨的使命！今天，一个拥有8900多万党员，面对世情、国情、党情深刻变化的执政大党，比任何时候都需要严明政治纪律。

习近平总书记（2013年1月22日十八届中央纪委二次全会）：

严明党的纪律，首要的就是严明政治纪律。党的纪律是多方面的，但政治纪律是最重要、最根本、最关键的纪律，遵守党的政治纪律是遵守党的全部纪律的重要基础，是维护党的团结统一的根本保证。

2015年1月13日，习近平在十八届中央纪委第五次全会上的讲话中，提出了"政治规矩"一词，并将党员应守的规矩归纳为四个方面：党章、党的纪律、国家的法律、党在长期实践中形成的优良传统和工作惯例。他要求全体党员必须具有铁一般信仰、铁一般信念、铁一般纪律、铁一般担当。

遵守政治纪律和政治规矩，就必须维护党中央权威。各级领导干部特别是高级干部，必须在守纪律、讲规矩上作表率，必须把纪律和规矩挺在前面！

党内不允许有不受纪律约束的特殊党员。谁触犯法纪，不管级别有多高，都要问责，都要处理。

2013年5月，党的十八大召开后的首轮中央巡视正式启动。

巡视工作在全面从严治党的进程中发挥了不可替代的重要作用。十八大以来受到审查的中管干部中，超过60%的问题线索都是通过巡视发现的。

巡视工作纪实：

习近平总书记明确强调，巡视是政治巡视；坚持以下看上；重点对象是党的领导机关和领导干部，特别是主要领导干部。

巡视制度的本质是政治巡视！就是要从政治上看问题，就是要通过巡视监督，严明政治纪律、落实主体责任，把丧失了政治信仰和使命担当的腐败分子清除出去。

历史的经验表明，我们党作为马克思主义政党，必须旗帜鲜明讲政治。什么时候全党讲政治，党内政治生活正常健康，我们党就风清气正、团结统一，充满生机活力，党的事业就会蓬勃发展。

讲政治，最根本的一条，就是要维护党中央权威，保证全党令行禁止。这是党和国家前途命运所系，是全国各族人民根本利益所在。全党必须牢固树立政治意识、大局意识、核心意识、看齐意识，自觉在思想上政治上行动上同党中央保持高度一致。

坚持党的领导，首先是坚持党中央的集中统一领导。一个国家、一个政党，领导核心至关重要。为保证我们党始终成为坚强有力的马克思主义执政党，始终成为中国特色社会主义伟大事业的坚强领导力量，必须有一个核心。

2016年10月，中国共产党第十八届六中全会在北京召开。全会正式提出了"以习近平同志为核心的党中央"，明确了习近平同志在党中央、在全党的核心地位。这对维护党中央权威、维护党的团结和集中统一领导，对全党全军全国各族人民更好凝聚力量抓住机遇、战胜挑战，对全党团结一心、不忘初心、继续前进，对保证党和国家兴旺发达、长治久安，具有十分重大而深远的意义。

这是我们党和国家的根本利益所在，是坚持和加强党的领导的根本保证，是进行具有许多新的历史特点的伟大斗争、坚持和发展中国特色社会主义伟大事业的迫切需要。

群众：火车跑得快全靠车头带，我个人感觉习主席还是很有魄力。

群众：老百姓对我们共产党更有信心，对生活更有希望，更有盼头。

群众：要我点赞的话，我点大赞，我可以说非常满意。

党的十八大以来的五年，是党和国家发展进程中很不平凡的五年。

在以习近平同志为核心的党中央的坚强领导下——

我们全面加强党的领导，让民族复兴的伟大征程有了更鲜艳的旗帜。

我们坚定不移贯彻新发展理念，让驶向社会主义现代化的中国列车行稳致远。

我们坚定不移全面深化改革，让每一天的生活都发生着可喜的变化。

我们坚定不移全面推进依法治国，让公平正义的阳光照进每一个公民的心底。

我们加强党对意识形态工作的领导，让13亿多人民的意志汇聚成不可阻挡的洪流。

我们坚定不移推进生态文明建设，让绿水青山成为金山银山。

我们坚定不移推进国防和军队现代化，让国家权益和世界和平有了更强大的保障。

我们坚定不移、全面准确贯彻"一国两制"方针，坚持"九二共识"，让中华民族的根本利益得以维护，让全体中华儿女的共同意志得到捍卫。

我们坚定不移推进中国特色大国外交，让五洲四海环抱起了最广大的朋友圈。

近代以来，久经磨难的中华民族，实现了从站起来、富起来到强起来的历史性飞跃。

回望党的十八大以来的五年，我们可以更加深切感受到，党和国家事业之所以发生历史性变革，根本在于以习近平同志为核心的党中央的坚强领导，根本在于习近平总书记系列重要讲话精神和治国理政新理念新思想新战略的有力指引！

2017年8月31日，中共中央政治局决定，向党的十八届七中全会建议：中国共产党第十九次全国代表大会于2017年10月18日在北京召开。

在全面建成小康社会的决胜阶段，在中国特色社会主义发展的关键时期，在实现"两个一百年"奋斗目标和中华民族伟大复兴的豪迈征途上，在进行伟大斗争、建设伟大工程、推进伟大事业、实现伟大梦想的新征程中——中国共产党第十九次全国代表大会将继往开来，明确大政方针，制定行动纲领，实现理论创新，描绘中华民族更加美好的蓝图！

我们坚信，在以习近平同志为核心的党中央的坚强领导下，中国人民将面向更加光辉的未来，书写更加辉煌的篇章。

不忘初心、继续前进！

本片由中共中央宣传部、中共中央文献研究室、中共中央党史研究室、国家发展和改革委员会、国家新闻出版广电总局、中央军委政治工作部、中央电视台联合摄制。

本书视频索引

第一集《举旗定向》完整视频..001

第二集《人民至上》完整视频..021

第三集《攻坚克难》完整视频..041

第四集《凝心铸魂》完整视频..061

第五集《强军路上》完整视频..081

第六集《合作共赢》完整视频 103

第七集《永立潮头》完整视频 125